밤바다

겨울의 밤바다에서 봄의 낮바다 까지

밤바다

발 행 | 2024년 05월 28일
저 자 | 정설난
펴낸이 | 한건희
펴낸곳 | 주식회사 부크크
출판사등록 | 2014.07.15.(제2014-16호)
주 소 | 서울특별시 금천구 가산디지털1로 119 SK트윈타워 A동 305호
전 화 | 1670-8316
이메일 | info@bookk.co.kr

ISBN | 979-11-410-8705-0

www.bookk.co.kr

밤바다

정설난 지음

CONTENT

머리말

봄날의 꽃가루를 담았으며,

여름 공기를 담았으며,

가을의 마음을 담았으며,

겨울의 시린 느낌을 담아냈습니다.

춥고 시린 겨울의 밤바다를 그려냈습니다.

이 글을 읽은 그대들에게 작은 위로가 되길.

겨울의 밤바다가 지나가고 봄의 낮바다가 오는 것처럼

저뿐만 아니라 그대들에게도 오길 바라며 끄적였습니다.

저의 추운 밤바다를 소중한 그대들에게 바칩니다.

본 장르는 픽션입니다. 폭력에 대해 자세하게 나와있어
주의하기 바랍니다.

제1화 밤바다

내 인생은 참 사람을 믿지 못한 인생

이었다. 이제는 정말 다 끝이란 생각에 오히려 마음이 편해진다. 차디 찬 바다 바람을 맞으며 난 천천히 눈이 감기며 의식을 잃어간다.

.

.

"야, 이서현! 정신 차려!!! 제발, 눈 좀 떠줘. 내가 이렇게 빌게.."

어.. 여기가 어디지? 난 힘겹게 눈을 떠보니 낯선 천장과 울고 있는 가연이가 보였다. 아, 가연이가 이렇게 울면서 내 손을 잡고 있는 걸 보아하니 또 실패했나 보다. 도대체 이 지긋지긋한 삶은 언제쯤 끝낼 수 있을까.. 나는 애써 괜찮다듯이 미소를 지으며 이제는 괜찮다고 걱정하지 말라고 가연이에게 말을 건넸다. 가연은 나를 보고는 다행이지만 걱정하는 말투로 내게 정말 화났다듯이 말을 하며 눈물을 보이고 말았다.

“괜찮긴 뭐가 괜찮아. 너 진짜 죽을 뻔했어. 조금만 늦었으면 죽었다고!! 왜 자꾸 나를 떠나려 하는 거야. 제발 날 봐서라도 더 살아주면 안 되겠니?”

아, 조금만 늦었다면 죽음이었다는 사실에 살짝 아쉬웠지만 차마 미처 가연이에겐 솔직하게 못 말하고 살짝 웃음을 짓고 있을 때 내 쪽으로 누군가 급하게 뛰어왔다. 원혁이었다.

“원혁아, 왜 여기까지 왔어? 수업은 어쩌고.”

원혁은 내게 역시 그럴 줄 알았다면서 어이가 없다듯이 화가 난 목소리로 내게 한 번만 더 그러면 가만두지 않는다고 말을 하였다. 난 이 두 아이를 보며 지금까지 못 흘

렸던 눈물을 내보이고 말았다. 아, 날 이렇게 걱정하는 존재들을 두고 내가 무슨 생각을 한 것이었을까. 아이처럼 우는 나를 보고 너희는 무슨 생각을 하였을까.

"미안해, 너무나 미안해. 난 너희에게 상처만 주었는데 왜 너희는 나를 아껴주니?"

가연과 원혁은 나를 보며 깊은 한숨을 쉬며 너여서 그렇다고 해주었다. 밤이 되어 가연과 원혁은 돌아가고 나는 비 내리는 창 밖을 보며 내 손목을 보았다. 이 깊은 혈흔이 아직도 안 지워지구나. 내 가슴속 깊이 있는 상처처럼 지워지지가 않는구나.

'이렇게 어둡고 깜깜한 제게 과연 아침이 올까요? 이렇게 어두운 제게도 찬란한 아침이 올까요? 저는 제가 너무 싫고 역겨워요. 과연 제가 아침이 올지 모르겠네요. 하지만 그대들은 밝은 아침만이 지속되기를 바래요. 제가 어둠이 될테니 그대들은 빛이 되어주기를 바래요.'

.

.

.

.

어렸을 적 원래 살던 곳을 떠나 새로운 곳으로 이사를 간 나는 창밖을 바라보며 설렘반 기대반으로 아버지에게 어디로 가냐고 천진난만한 표정으로 물어보았다. 아버지는 짧은 한숨을 쉬며 내게 미소를 지어주며 진도로 이사를 간다고 하였다.

"진도..? 거기가 어딘데? 나 다시 서울 가면 안 돼??"

어린 나는 시무룩한 표정으로 되물어보았지만 어쩔 수 없다는 것을 알고 다음날 전학을 가야 한다는 사실에 뭘 입고 가면 친구들이 좋아할지를 생각하며 전날 일찍 잠에 들었다.

"안녕..? 나는 서울에서 이사 온 이서현이라고 해.. "

낯을 많이 가리는 나는 첫 소개 때 낯 가리는 말로 자기 소개를 하고 내 자리로 돌아갔다.. 내 자리로 돌아가 난 혼자 어떻게 해야 할지 모르겠을 때 누군가 왔다.

"안녕 서울에서 왔다고? 나는 진민소라고 해 잘 부탁해!"

나는 반갑게 인사하는 민소에게 어색하듯이 인사를 받았다. 그러고 보니 민소는 처음 온 내게도 잘해주었던 친구였다. 그때 내가 반갑게 이사를 하고 민소에게 밉보이지만 않았더라면 내 인생이 조금이라도 달라지지 않았을까

서울에 살다 생판 모르는 지역으로 이사 온 10살이라는 어린 나를 뭐가 그렇게 밉다고 미워했을까 진짜 그 아이가 말하였던 내 지역 때문에 그랬던 걸까? 내 문제가 아니었을까.. 아니, 나는 그렇게 생각하지 않는다. 모든 문제는 나였을 것이다. 내가 약했기 때문에.

이사 오고 첫 체육날이었다. 전에 살던 곳은 내 건강 때문에 못 하는 걸 알고 날 배려해 주었지만 여기는 아니다. 물론 용기 있게 선생님께 말하고 쉬고 있지만 아이들의 차가운 눈빛, 아직도 잊지 못한다.

"야, 너는 왜 안 하고 쉬고 있어? 애들 다 하잖아."

나는 작은 목소리로 미안하다는 표정으로 심장이 약해 안 된다고 하였다. 아이들은 날 한 번 훑어보고 지나가며 자기들끼리 쑥떡 거 린다. 뭐지? 내가 무언가를 실수를 한 게 아닐까..?

그날은 어느 때와 다르지 않게 체육을 쉬며 책을 읽고 있었던 날이었다. 그때 민소가 나에 대한 말을 하고 있었다. 무엇인지 궁금해 난 책을 읽는 것을 그만두고 말을 엿들었다.

"와, 재는 좋겠네. 체육도 안 듣고 서울에서 이사 온 애들은 다 그런 건가, 재 심장이 약하다는 것도 거짓말 아니야? 우리 한 번 시험해 볼래?"

무엇을 실험을 해 본다는 것일까.. 난 민소가 내게 다가오는 것을 보고 다시 책을 읽는 척을 하였다.

"서현아, 너는 좋겠다. 이렇게 귀찮은 체육도 안 해도 되고 하, 나도 너처럼 아프면 좋겠네!"

"아니야, 민소야 나도 많이 하고 싶은 걸..? 하지만 나는 심장이 많이 약해서 급격한 운동은 하지 말라고 의사가 말했거든"

그 아이에겐 그 말이 거슬렸을까.. 마음에 들지 않다는 표정을 지으며 차갑게 자기를 따라오라는 말을 왜 난 거절을 하였을까 그때 거절을 하지 않았더라면 내가 이렇게 괴롭힘을 당하지 않았을 텐데.

다음 날 학교를 간 나는 심장이 떨어지는 기분을 느꼈었다. 책상은 엉망이고 의자가 사라진 내 자리. 누구였는지 바로 감은 왔지만 싫은 소리를 하지 못한 나는 아무 말하지 못하고 화장실에 갔다. 왜 너는 내게 그랬을까? 내가 무엇을 잘못했기래 어린 너는 그리 악마가 되었을까.

"얘들아 제발 살려줘. 제발 이 문 좀 열어줘"

그날 이후 나는 심각한 괴롭힘에 시달렸다. 지금처럼 어두운 곳에 갇혀있는 것은 기본이었다. 휴대폰과 현금이 사라지기도 하고 내 가방과 옷들이 쓰레기통에 발견되었기도 하였다.

"하하하 이서현 꼬락서니 좀 봐 너무 웃기지 않아? 서현아 열어줄까? 열어주기를 바라면 개처럼 짖어봐"

이런 식으로 모욕을 당하면서 내가 살아가야 하는 걸까? 그 어리고 작은 나는 그때부터였다. 사람이 두려워진 게..

'무서워, 열어줘. 숨 쉬기가 어려워. 살려줘. 누가 나를 이 지옥에서 구해줘.. 제발..'

어린 나는 이 말을 계속하여 반복하며 말하며 결국 쓰러지고 말았다. 일어난 곳은 학교 보건실이었다. 보건 선생님은 수술받자고 하였지만, 서울에서도 못 고친 내 병을 어떻게 고칠 수 있을까. 요양과 아버지의 일 때문에 이사 온 내가 어떻게 여기서 이겨낼 수 있을까.

"서현아, 너 또 쓰러졌다며. 어떡하니 그렇게 약해빠져 가지고는. 야, 서현아 내가 너를 왜 괴롭히는 줄 알아? 너 정말 싫거든. 약해빠져 가지고는 서울에서 온 아이라고 고고한 척 하기는 거지 같아"

그런 말을 하는 진민소는 어린 악마인 것처럼 정말 무서운 미소를 짓고 있었다. 그날은 예전보다 더욱 심한 괴롭힘을 받았다. 집에 간 나는 부모님의 얼굴을 보고 눈물이 왈칵 쏟아냈다.

'엄마, 아빠 나 좀 구해줘. 나 너무 힘들어. 나 말은 안 했지만 너무 고통스러워 사는 게 너무 힘들어 나 다시 돌아가고 싶어..'

어리고 어렸던 나는 부모님이 걱정할까 봐 그 말을 차마 못 하고 눈물만을 보았다. 부모님은 나를 안아주며 무슨 일이냐 물었지만 나는 차마 말하지 못하였다.

그날이었던 것 같다 내가 처음 죽음을 결심한 날. 그때의 나는 고작 13살이었다. 정말 어린 나이.

학교를 가자 교무실로 오라는 소리를 듣고 교무실을 갔는 데 나는 충격을 먹을 수밖에 없었다. 거기에는 무릎 꿇고 미안하고 빌고 있는 어머니가 있었기에. 어렸던 나는 그 자리에서 처음으로 물었다. 왜 엄마가 그러고 있냐고 잘 못 한건 저들인데 왜 엄마가 그러고 있냐고. 감정을 더 이상 참지 못하였던 나는 울면서 소리쳤다. 그러자 선생님이란 인간이 내 뺨을 후려쳤다. 너 같은 애 때문에 학교 분위기가 망가지는 것이라고.

알고 보니 진민소가 꾸며 된 것이었다. 진민소는 나뿐만 아니라 돌아가며 아이들을 왕따 시켜 결국 진민소가 왕따가 되었지만 제일 심하게 괴롭힌 내게 와서 다시 친하게 지내자고 하였지만 그러지 않는 나에게 앙심을 품고 가짜 자살쇼를 버렸던 것이다. 나 때문이라 하면서.

왜 피해자는 나인데 왜 내가 이런 수모를 겪었던 것일까. 그날 처음으로 난 죽음만을 꿈꾸었다. 언제 간 이 꿈을 이룰 수 있을 거라 생각하며.

부모님은 내게 다시 이사가자 하였지만, 집안 사정을 뻔히 아는 나는 나 때문에 안 그래도 된다며 계속 다녔다. 아무도 나를 사람 취급 안 하고 유령 취급하는 그 악몽 같은 학교에서 졸업 까지 마무리 하였다. 억지로 그 괴롭힘을 견디며 아이들의 악마를 보면서 말이다.

.

.

"서현아 나 먼저 가볼게. 푹 쉬고 몸 잘 회복해서 보자"

가연과 원혁이 가고 나는 창밖을 보며 옛생각에 잠겼었다. 그 아이들은 어떻게 살아가고 있을까. 나에게 이런 큰 상처를 주어서 10년이 넘어도 아직까지 지워내지 못하고 있는데 왜 너희는 잘 살고 있는걸까. 난 이렇게 불행하고 아픈데.

"서현아, 나 왔어. 몸은 괜찮아?"

정한이였다. 내가 몇 되지 않는 믿는 사람 중 한 명이다. 정한은 내가 가장 아팠을 때 친해진 남사친이였다. 이 애를 이후 남자라는 존재를 안 두려워 했으니 말이다.

"정한아, 왔어? 오랜만이네. 휴가 나온 건데 내가 이런 모습을 보여서 미안하네"

정한은 그걸 아는 애가 그러냐는 말투로 날 다그치고는 많이 걱정 되었다고 하였다. 나는 정한한테 싱긋 웃음을 보이고는 너는 항상 내 곁을 떠나지 않는다고 하니 정한은 헛웃음을 지으며 어이가 없다고 하였다. 자기가 너를 왜 떠나나며 말도 안되는 헛소리 하지 말고 기운이나 차리라 말했다. 나는 정한의 대답을 듣고 내 지워지지 않는 깊은 혈흔들을 보며 추운 겨울의 창밖을 보았다. 내가 몇 믿지 않는 정한을 보며 나는 은근한 슬픔이 담긴채 정한에게 말을 걸었다.

"정한아 기억나? 너랑 나랑 친해진 계기"

정한은 내 물음에 고개를 갸우뚱하며 기억이 나지 않는다고 하였다. 나는 정한을 보며 예전이 있단 이야기를 꺼내주니 정한은 그땐 그랬지 라며 아이 처럼 눈물을 보이는 내게 휴지를 가져다 주었다. 참 아직 나는 어린 아이 인가 보다.

"서현아, 과거는 과거일 뿐이야. 우리는 이제 나아가야지. 네가 그러한 힘든 인생을 살아왔다고 해도 너라는 사람은 변하지 않잖아. 울고 싶을 땐 울어 참지 말고"

정한은 언제나 처럼 내게 담담한 위로를 남겨주며 먼저 가겠다고 하며 갔다. 나는 정한이 내게 남겨준 말을 곰곰히 생각해 보며 예전 보다 많이 나아진 내 팔목을 보며 중학교 때 일을 곰곰히 되짚어본다.

.

과거, 심한 괴롭힘을 당한 나는 어느새 중학생이 되었다. 위축해진 내 모습을 숨긴 채 다가갈려고 노력을 하였다. 그 때였다. 내게 처음 말 걸어준 사람이 정한이란 친구였다.

"너는 어디 학교에서 나왔어?"

어디 학교에 나왔냐는 물음에 예전 생각에 위축되었지만 금방 잊고 말을 하며 서서히 친해졌다. 그러나 두려웠다. 이 애가 날 정말 친구로 생각 하는지, 그리고 무서웠다. 사람의 존재가 나한테는 아직 버겁나 보다.

생각보다 아이들이랑 많이 친해지고 내 성격은 점점 밝아져갔다. 아, 이런게 친구 일까? 이렇게 행복 해도 되는 걸까... 그러다 어느날 정한이 말고 친구가 생겼다. 이름은 김예린. 참으로 사랑스럽고 매력적으로 생긴 아이였다. 하지만 생긴 거와 다르게 악독하고도 이중성이 가득한 그

애였다.

"서현아, 나 만원만 빌려줘."

난 아무런 의심 없이 그렇게 자주 빌려줬다. 돈 뿐만 아니라 사소한 것 까지도 다.. 그 아이가 나를 친구로 생각하는 게 아니였는데 난 그 아이를 믿었다. 내 첫 친구 였으니 말이다.

"서현아 나 숙제 좀 해줄래? 내가 보다시피 좀 바쁜 사람이여서

예린이가 처음으로 사겼던 여자였던 친구여서 그런가 나는 거절을 하지 못하고 예린의 부탁을 다 들어주었다. 참, 바보 같고 순진했던 내 어린 시절이였다.

"서현아 우리 같이 놀러갈래? 옆동네로 놀러가자!"

예린이 놀러가자는 말에 나는 처음으로 친구와 놀러간다는 생각에 매우 설레였고 몇 날 며칠을 기대하며 옷 까지 다 골라놓았다. 그러나 그 날 하필 하나뿐인 내 동생이 크게 다쳐 입원을 해버리고 것이다. 자전거 타다가 차에 치인 동생은 다행히 생명에 지장 따윈 없었다. 다행이란 생각이 가자마자 나는 예린의 생각이 났다. 미안하다는 생각 보다는 두려움이 먼저 들었다. 내가 약속 취소 해서 화나면 어쩌지라는 두려움. 예린이에게 동생이 입원해 못 간다 하니 아직 그 말이 나는 성인이 된 지금도 생생히 기억이 난다.

"아니, 동생이 다친 건 다친거고 나와의 약속은 나잖아. 어차피 부모님도 있는데 네가 거기에 있다고 도움 되는 건 하나도 없잖아. 야, 그냥 나와 나 기다리잖아. 어이없네 이래서 친구가 없지.."

 이 말을 끝으로 예린의 전화는 끊어지고 나는 내 잘 못이란 생각이 들며 그 자리에서 주저앉아 울고 말았다 모든 게 다 나 때문이란 생각으로. 그 날 이후 나는 김예린의 부탁을 다 들어주었다. 쓰레기 대신 버려주기, 청소나 급식 대신 받아주는 그런 친구가 아닌 김예린의 밑으로.

내가 김예린에게 쩔쩔 매는 모습을 본 정한은 나를 데리고 나가서는 저런 거 하지 말라고 네가 거절해서 친구가 아닌게 된 거라면 제가 저런 애라고 무시하라고 했다.

그 말을 들은 나는 한 동안 생각에 깊게 잠겼다.

"야! 나 3만원만 줘봐"

처음으로 미안하다고 못 빌려준다 하니 그 아이는 짜증난다는 식으로 가고 난 안절부절을 못 한 채 다음 날이 되기를 기다렸다. 학교를 가니 싸늘하고 차가운 눈빛들. 심장이 철렁 했다.

"야, 이서현, 나와봐"

알고보니 내가 도둑이란 누명을 쓴거다. 하늘에 맹새코 나쁜짓은 안 했다고 자부 할 수 있는데. 그 아이였다. 그 아이가 내가 싫어 내 사물함에 물건을 둔 거였다. 그렇게 나는 차가운 눈빛을 보며 지냈다.

그 날 이후 나는 애들이 싫어하는 아이가 되버리고 말았다. 키 작고 빼빼 말랐는데 생긴거와 같이 음침하다는 말을 들으며.

다행히 혼자 있는 내게 정한과 그의 친구들이 다가와주며 같이 다녔다. 그 들과 있으며 나는 예전과 달리 서서히 변해가며 수술을 받고 처음으로 운동이란 걸 해보고 책을 좋아한 나는 도서부 회장 까지 하며 긍정적으로 변해가고 있었다.

최근 들어 나를 보며 쑥덕 거리는 무리들이 생겼다. 내가 잘 못한 거 같은데 무슨 일인지 몰라 혼자 속으로 삭히는 중 어떤 아이가 나를 보며 더럽다고 하였다. 그 말을 듣고 나는 순간 어지럽더니 초등학생 시절 아이들이 내가 했던 말이 생각 나며 쓰러지고 말았다.

알고보니 내 소문이 돌고 있었던 것이다. 내가 남자아이들과 다니니 남자에 미쳤다, 어장녀라는 소문이 돌고 있었던 것이였다. 김예린네 무리였다. 김예린은 내가 자기와 떨어진 후에도 잘 지내고 있는 모습이 미워 그랬던 것이였다. 나는 그 날 이후 예전 보다 더 많이 사람들을 피해 다녔다.

"야, 이서현. 너 왜 자꾸 나 피하는데."

정한이였다. 사실 난 정한을 피하고 있었다. 나 때문에 안 좋은 소리를 들을까봐 그랬던 거였는데. 그래서 피했던 건데 이게 정한에게 상처가 될지는 몰랐다. 난 정한에게 나 때문에 네게 피해 주는 게 싫어 그게 네게 큰 상처가 될 지 몰랐다며 당황한 말투로 말해주었다.

"서현아, 왜 그러는 거야. 넌 충분히 사랑받을 자격이 있는 사람이고 난 너 안 떠나. 네가 안 그러는 거 아니까 너무 스스로를 깍아내리지 마."

그 말에 난 결국 눈물을 보이고 말았다. 아, 내게도 진정한 친구가 생긴거구나. 장말 다행이야. 날 믿어주고 내 곁에 함께 해주는 친구인 네가 있어서.

"정한아 고마워 내 곁에 네가 있어 다행이다"

.

.

그 관경을 보고 있는 한 존재가 있았다. 민석이였다. 서현이 느끼지 못하였지만 항상 모습을 바꿔가며 있었던 존재 민석. 그는 참 서현이란 아이가 궁금했다. 이상하게도 불행수치가 높았던 그녀가 궁금해 모습을 바꿔가며 있었고 포기하지 않고 살고 버티는 그녀가 꽤 궁금해서 그런 것도 있었다.

"쉽게 포기 하지 않네. 근데 이번은 그냥 넘어갔지만 다음에는 어떨까? 꽤 궁금한 걸."

.

.

"바보야, 난 그 때 네가 그러지 않았단 걸 알아. 네가 그랬다면 내가 왜 네 곁에 있겠어? 그리고 나는 그 때도 그렇고 지금도 그렇지만 네가 어떤 행동을 하든, 어떤 선택을 하든 네 편이고 네 친구이니 걱정하지마."

정한의 위로아닌 위로를 듣고 난 힘없이 웃어보았다. 고맙다는 내게 정한은 별거 아니라는 식으로 말하고는 손목이 엉망진창인 날 간호 해주고 갔다.

"서현아, 나 내일 복귀여서 다시 가볼게. 그 때는 이런 모습 말고 좋은 모습으로 보자."

정한이 가고 나서 빈 병실을 바라보던 나는 내가 아직

왜 살아있는 지 의구심이 들었다. 이 아이들이 날 사랑하고 아낀다 해도 언젠가는 날 떠날 것이라는 의구심은 지울 수 없었다. 어차피 내가 죽으면 그 당시에는 힘들어도 시간이 지나면 괜찮을 텐데 말이다. 가연이가 너무 보고 싶었다. 내가 죽을 듯이 힘들고 살기 너무나 싫었던 고등학생 때를 버티게 해준 가연이가 너무 보고 싶다.

.

.

다음 날 아침이 되고 가연이 날 찾아왔다. 내가 좋아하는 보라색 델피꽃을 가지고 오며 말이다.

"서현아, 너 이 꽃말 알아? 그러니, 이 꽃말 처럼 난 널 아끼고 사랑하니 세상을 떠나지 말아줘."

진심어린 가연의 말이 왜 그 당시에는 귀에 들어오지 않고 죽을 생각만 하였을까. 생각보다 날 아끼는 이들이 많았는데 왜 나는 볼려고 하지도 않았을까.

내가 어떻게 이렇게 되었을까. 아무리 생각을 해보아도 그 때 인것 같다. 내 인생에서 가장 비참하고 가장 꽃다운 나이에 내가 이렇게 심해로 빨려들어간 것은.

새 출발을 하고 싶어 나는 고등학교를 아예 타지역으로 가 생활을 하였다. 처음은 정말 행복했다. 이 순간이 영원했으면 하였고 처음으로 반장을 해보고 학생회 까지 하고 있었으니 정말 좋았다. 그러나 그 순간은 고작 1년 밖에 되지 않았다.

초반에는 아이들과 잘 지내고 학생회 활동을 하는 등 즐겁게 보냈다. 그.. 오해가 생기기 전 까지는 말이다. 나는 아직 까지도 모르겠다 그런 오해가 왜 생긴건지.

그 오해는 아주 작은 사건에서 시작되었다. 쌀쌀해진 가을에 누워 자고 있는 내게 누군가 바람막이를 덮어주었기에 생긴 일.

"야, 재 뭐야? 여우야? 뭔데 저래 남자에 미쳤나"

누군가 말한 작은 불씨가 한순간에 큰 불로 번지는 것은 쉬웠다. 이제 막 갓시작한 나의 SNS에는 누군지 모르는 익명의 욕이 많아졌다.

'걸레다'

'더럽다, 남자에 미쳤다.'

'알고보니 조건 뛴다더라'

이런 식의 이상한 말들이 생겨나고 나는 그거에 대해 큰 스트레스를 받았다. 예민해진 나는 처음 사귄 고등학교 친구들에게 고민을 털어놓았고 그 친구들은 나를 배신하였다.

'서현이 걔가 남들을 의심하더라. 그 글의 주인이 모르는데 같은 반 학우들을 의심하고 있더라. 역겹다'

이런 식으로 퍼진 내 소문은 나의 평판이 떨어지고 나는 다시 의기소침한 상태로 돌아갔다. 내가 이상한 것만 같았다.

고등학생때 괴롭힘은 어렸을 때와 받은 괴롭힘은 차원이 달랐다. 누군지 특정할 수 없는 괴롭힘이였다.

익명의 문자로 내게 욕설이 오고 주변 인들에게 하지도 않은 일이 생기고 도둑질을 내게 뒤집어 씌우는 등 참으로도 악랄하고 신고는 할 수 없는 괴롭힘을 당하였다.

나는 트라우마가 도져 피해망상이 생기고 어딜 가도 모두가 내 이야기를 하는 것만을 같았다.

"서현아, 혹시 나 대신 청소 좀 해줄래?"

어렸을 때부터 거절을 잘 하지 못하였던 나는 바보 같이 다 들어주고 대신 해주었으며 대신 잘못을 뒤집어 쓰기도 하였다. 항상 그러나 아이들은 뒤에서 '재는 시키면 다

하는 아이' 이게 나였다.

"아, 담배 걸렸어 니코틴 검사 받으라는 데 어떡해? 누구 부탁 할 얘 없나?"

"이서현 있잖아 재한테 부탁해"

같은 반 아이들의 나에게 도가 지나친 부탁을 들었을 때 처음 거절 하였을 때 그 표정을 잊을 수 없다. 그, 같잖다는 표정으로 나를 쳐다보고는 짜증나다듯이 욕을 하였을 때 나는 바보같이 해주고 말았다.

"야, 서현아 고마워. 덕분에 안 걸렸어 고마우니까 화장 해줄게"

처음 들어보는 꾸며준다는 말에 나는 처음으로 꾸며보았다.
자기들만의 화장. 내 첫화장은 최악이였다. 짙은 아인라이너에 진한 립. 거기에 그 아이들이 빌려준 첫 짧은 치마.

이상하였다.

“야 너 예쁘다. 이렇게 꾸며주니까 봐줄만 하네. 내가 너 화장해줬으니까 같이 놀자”

처음 느껴보는 기분이였다. 이게 친구와 노는 기분 일까 싶어 같이 놀았다. 하지만 이상하였다. 학생으로써 이게 맞는 지 싶었다. 그 아이들과 논 곳은 구석에 있는 노래방이였다.
거기서 그 친구들은 담배를 꺼내고 불을 붙였다. 그리고 내게 권하는 담배. 이것을 거절하면 정말 친구를 다시는 못 사귈 꺼 같아 처음으로 펴보았다.
처음 펴본 담배는 최악이였다 기침이 자꾸 나오고 눈을 시빨개졌다.

“서현아, 괜찮아? 아니 그러게 왜 펴. 찐따 주제에..”

그 아이들은 그 말을 하며 비웃었다. 하지만 난 친구 하나 없었기에 그 아이들이라도 붙잡고 싶어 비행을 저질

렸고 점점 많은 주변인들이 생겼다.

물론 그게 비록, 좋지 못하는 관계이지만..

"야, 이서현 나와"

"응! 갈게"

그 아이들과 친해지고 나는 참 변했다. 짙은 화장과 짧은 치마, 거기에 담배 냄새까지.

지금 생각하면 참 후회 된다. 그 아이들과 친해지는 것이 아니였는데.

나는 그 아이들의 셔틀 같은 것이였다. 돈 대신 내주고 물건 들어주는 그런 셔틀 말이다. 대신 그런 자잘한 일을 하는 대신 그 아이들의 친구들과 알게 되었고 한 번도 경험 해보지 않았던 일들을 하였다.

"이건 진짜 아닌 것 같은데.."

"왜? 서현아 못 하겠어?"

그 아이들이 시킨 건 담배셔틀이였다. 그 이후 담배를 한 번도 피지 않았던 내게 시킨 담배셔틀. 그 아이들과 다녀 담배 냄새가 배여 남들이 오해한다 하니 그 아이들은 정말 어이없다는 듯으로 웃고는 다시는 자기들 앞에 띄지 말라고 하였다.

"미안해, 지금이라도 할까? 미안해"

"됐어, 어차피 안 할꺼 알았어, 언제까지 네가 내 말에 따를 지 궁금해서 시킨거야"

그 이후 나는 다시 그 아이들에게 버림 받고 다시 혼자가 되어다. 두려웠던 나는 예전에 했던 또다시 자해를 하였다.
참, 스스로가 잘 못하였으면서 자해는 꼴이 우스웠다.

.

.

고등학생 때 있었던 일을 회상하며 나는 묘한 기분을 느꼈다. 아무리 인간관계가 서툴다고 그런 아이들과 다녔던 내 자신이 한심 했다. 그래서 그런 일을 당했던거면서. 그 때 가연이가 나를 도와주지 않았다면 난 더 이상 여기에 살지 못하고 죽었겠지. 진짜 과거에 한심하고 어렸던 내가 지금 살아있고 대학 까지 갔던 이유는 아마 가연이가 아닐까 싶다.

.

.

가연이랑 친해진 건 정말 단순했다. 그 당시 연애했던 사람의 형의 여자친구였으니. 동갑이고 같은 여자라 통했던 게 많았던 우리는 친해지고 둘도 없는 친구가 되었다. 서로 자주 놀러가고 단 둘이 따로 보기도 하는 등 정말 많이 친해지고 어느 새 서로에게 비밀이란 존재 하지 않는 사이가 되었다.

"서현아, 나 헤어졌어."

내가 그 사람과 헤어진지 며칠 지나지 않아 가연이는 그 남자와 헤어지고 나에게 연락이 왔다.

연락을 안 할 만 한데 우리는 이상하게 그 이후에도 연락을 하고 지내며 따로 만나 자주 놀고 서로의 고통까지 다 공개 할 수 있는 관계였다.

가연이도 상처가 많았던 아이였고 나도 상처가 많은 아이였다. 둘이 친해지고 자주 놀러가던 시기. 딱, 그 시기였던 것 같다. 내가 정말 죽고 싶고 아팠던 기억 말이다.

그 날은 내가 인터넷으로 처음 사람을 만나는 날이였다. 게임에서 친해진 사람인데 같은 여자에 나보다 한 살 많은 언니를 만나러 갔다. 물론 무섭고 떨렸지만 같은 여자에 바로 옆지역에 사는 사람이라니 이건 만나야 겠다 싶어 만났다.

그러나, 그 사람은 언니가 아니였다. 성인 남자였다. 그것도 덩치 크고 무서운 문신이 덮여있는 그런 사람.

나는 무서워 그 자리를 피해 도망가려 했지만 성인 남자의 힘을 이길 순 없었고 그대로 아무도 없는 골목길에 끌려가 차마 말로 담지 못한 일을 당했다. 그리고는 버려졌다. 그 더러운 인간의 채취를 담은 채 나는 그대로 버려졌다.

정말 죽고 싶었다. 살기 싫었고 나 같은게 왜 사나 싶었다. 그리고 무서었다. 이게 다 조심성 없고 사람을 쉽게 믿은 내 자신의 잘 못으로 생겨난 일이니 이 모든 일이 다 내 잘못이라 생각이 들었고 내 몸이 정말 더러워 보였다. 그 날 부터였다. 내가 수 많은 자살 시도를 했던 것이.

그 날부터 잠도 먹지도 못한 채 한 달이 지나고 가연이를 만났을 때 가연이 무슨 일이 있었냐고 걱정해주는 말에 남들에게 내 속 이야기를 절대 하지 않은 내가 펑펑 울면서 가연이에게 이야기 해주었다.

내 이야기를 들은 가연이는 나 대신 더 많이 분노해주고 나를 안아주었다. 절대 그건 네 잘못이 아니고 오로지 그 사람 잘못이라 말해주며 말이야.

"서현아, 그건 너 잘못이 아니야 네 같이 어리고 여린 아이 한테 그런 추악한 짓을 한 그 짐승이 잘못된거야. 네 잘못은 없어 없으니 나랑 같이 병원 가자"

가연의 말을 들어도 이 모든 일이 내 잘 못 같았고 가연의 손에 이끌려 난생처음으로 정신병원에 가게 되었다.

"안녕하세요, 진로 받을려고요. 이름은 이서현이고 18살이예요."

그 어린 나이에 그런 일을 당했다고 어느 누가 믿을 수 있을까. 병원에 가 상담을 받고 병원에서는 이건 부모님에게 연계해야 같다고 이야기를 하였다. 나는 두려웠다. 부모님이 내 편이 되어주지도 않을꺼 같고 아직 까지도 이 모든 일이 내 잘못 같은데 내가 어떻게 말을 할 수 있을까.

병원에서 진료를 받고 나는 집에 들어갔다. 집에 들어가는데 아파트 복도에 울려퍼지는 부모님의 살벌하게 싸우는 소리가 들려왔다. 나는 그 자리에 서서 그 이야기가 하나하나 비수가 되어 꽂혀왔다.

"당신이 어떻게 했기래 얘가 이 모양 이 꼴이야, 18살이나 되었으면 지 몸 간수는 알아서 해야지"

"그게 어떻게 냐 잘못인데 자주 출장 나가는 당신 잘못이지"

"내가 출장 나가는 동안 당신은 혼자 집에서 애 안 가르치고 뭐했기래 집구석이 이 모양 이 꼴이야"

"야!!!"

이 말을 끝으로 물건 던지는 소리와 큰 소리가 나고 아버지는 잔뜩 화가 난 채로 집을 나오며 아파트 복도에 경직되어 서 있는 나를 보고는 한심하다듯이 쳐다보며 욕을 하고 지나갔다.
나는 그 관경을 보고 밖에 나가 몇 시간이 지나고 해가 진 뒤에야 집에 들어갔다.

집에 들어가니 아무 소리 안 나는 적막한 소리, 거기에 차가운 공기까지. 나는 순간 기분이 쎄해 집안을 둘러보니 아무도 없었다.

'어떡하지, 부모님이 나를 버린걸까? 나는 더 이상 어떻게 살아야 하지 내 유일한 내 편이 나를 버리게 된다면..?'

수 많은 생각이 나를 스쳐지나가고 점점 숨이 가빠와 졌을 때 집이 열리는 소리가 들렸다. 어머니였다. 어머니는 나를 보자 넋이 나간 표정으로 내 뺨을 후려쳤다. 네 같은 건 낳지 말았어야 한다며 같이 죽자는 말과 함께...

나는 그 말을 듣고 어머니와 함께 울었다. 나는 정말 무섭고 두려웠는데 세상 유일한 내 편이 내게 이런 말을 하는 게 너무 무서웠다. 그 날을 끝으로 나는 가출을 하였다. 무려 3개월 동안..

사라진 나를 아무도 없을 줄 알았다. 가출 한 나는 PC방, 찜질방등 여러 곳을 들어다니며 지냈다. 돈은 그 전에 모아둔 돈으로 생활을 하였다. 당연히 날 못 찾게 폰은 집에 두고 오고 돈은 가출 하자마자 바로 현금으로 바꿔 다녔다.

돈이 바닥을 보일 때쯤 부모님이 날 찾아왔다. 그리고는 아무 말 없이 차에 태웠다. 어디 가냐는 내 말에 아무 대꾸를 하지 않고는 인적이 드문 산으로 갔다. 산 아래 절벽이 있는 그 곳에서 부모님은 날 끌고 내려서는 말 하였다. 그리고는 말하였다. 그 따위로 살꺼면 같이 죽자고.
그 말을 들은 나는 이상하게 두려웠다. 두려울게 없었다 생각한 그게 아니였나 보다. 그 말을 들은 순간 나 때문에 고작 나 때문에 이런 일이 일어났다니 나는 싫다고 말하고 잘못했다고 빌었다.

"미안하다. 우리도 부모가 처음이여서 네게 상처 줄 말을 아무렇지 않게 한 것 같다. 네게 그렇게 큰 상처가 될지 몰랐다. 이제 집에 가자"

부모님은 그 말을 끝으로 눈물을 보였다. 아버지의 눈물은 처음 보았다. 왜 나 때문에 내가 뭔데 고작 나로 인해 집이 이렇게 까지 간다는게 그 당시 나는 이해를 할 수 없었다.

그 일은 시간이 지나기도 하였고 증거가 없어 없었던 일로 하게 되었고 나는 병원을 다니기 시작 되었다.
병원에서 말한 내 진단명은 우울증과 불안장애였다. 보호병동에 입원 후 경과를 지켜보자는 의사 말에 부모님은 상의를 한다 하였고 학생 때 입원은 절대 하지 않겠다는 내 말로 인해 입원치료는 하지 않고 약물 치료만 하였다.

하지만 약물 치료도 잠시 결국 나는 입원 치료를 하였다. 입원을 한 건 내 나이 19살 이였다. 입원 치료를 하게 된 건 이유가 별거 없었다.

그 날은 가연이와 논 날이였다. 가연이는 그 일이 있는 이후에도 변함없이 내 곁에 있었으며 한 침의 변함 없이 좋은 친구 사이로 남고 있었으니.
가연이와 놀고 정말 행복 한 날 나는 이상하게 이 행복을 끝내고 싶지 않고 계속 유지 하고 싶었다. 하지만 살아 있다면 분명 이 행복은 끝이 날텐데. 그게 두려웠던 나는 그 날 정신과 약 일주일 치와 진통제 3통을 먹고 팔을 그은 채 3일 동안 기억이 없었다. 깨어나니 나는 병원의 중환자실이였고 그 날 5층에서 뛰어내렸다고 하였다. 그리고 3일 만에 깨어났다고 하였다.
눈을 뜨니 내 곁에는 가연이와 가족들이 울고 있었다. 내가 이 들을 두고 떠나려 했다니 참 한심했다.

"미안해, 모두들 내가 앞으로 더 잘 할게 울지마.."

.

.

서현이를 살린 건 그 누구도 아닌 민석이였다. 민석은 흔히 사람들이 말하는 신이라 불리는 존재 였다. 민석은 사람들이 말하기과 다르게 오로지 자신의 재미로 사람들의 인생을 가지고 놀았으니. 민석은 서현이의 인생이 재밌었다. 장난삼아 행복과 불행을 왔다갔다 줬는데 그럼에도 서현이를 지키는 사람들을 보니 흥미를 돋게 만들었다.

"꽤나 재밌는데? 이서현이라 했나? 재밌네. 이렇게 재밌는데 벌써 끝나면 안되지"

이 말이 끝나기 전 서현이 민석을 찾아왔다. 그 혼수상태에 빠진 3일간 말이다. 서현은 민석이에게 따졌다. 신이면 다냐고, 그냥 나 좀 행복하게 만들어 달라고 말하면서 말이다.

꽤나 당돌한 소녀의 모습에 민석은 마음에 들었고 기억을 지운 채 서현이를 다시 살렸다.

"이번에는 더 재밌을꺼야 꼬마 숙녀"

.

.

혼수상태에서 깨어난 나는 이상하게 자주 머리가 아팠다. 약물 중독이겠지 싶어 나는 대수롭게 넘기고는 퇴원을 하였다. 그게 민석이 보내는 신호인지도 모르는 채.

"서현아, 다시는 이런 짓 하지마. 네가 없으면 내가 어떻게 살라고. 제발 그러지 말아줘"

입원 전 가연이의 부탁을 듣고 난 미안하다며 말하며 [1]보호병동에 들어가게 되었다.

보호병동은 정말 지루하기 짝이 없고 심심하였다. 모든

---

[1] 보호병동이란 흔히 우리가 말하는 정신병원 폐쇄병동을 뜻한다

전자기기는 차단 되었고 이 촌스러운 환자복 까지. 모든 게 별로였다. 거기에 면회도 직계 가족 밖에 안되는 시스템, 정말 별로였다.

내 옆에 침대를 쓰는 아이는 [2]조증인게 분명하다. 이렇게 시끄럽게 쓰는 거 보니까.

"언니 안녕! 언니는 왜 여기 입원했어? 여기 좋은 사람 많아!! 언니 나랑 같이 탐험하자!!"

정말 시끄러운 아이였다. 나는 귀찮아서 듣는 둥 마는 둥 하며 그 아이를 신경쓰지 않고 혼자 누워만 있었다. 재미도 없고 따분하는 이런 곳. 얼른 나가고 싶었다. 나는 지긋히 정상인데 말이다.

---

[2] 기분이 비정상적으로 고양되어 충동적이고 폭력적인 행동이나 논리적 비약 등이 나타나는 정신적 상태를 뜻한다

".. 너 이름이 뭔데?"

며칠이 지나고 끈임없이 말을 걸어준 그 아이에게 내가 건넨 첫 질문은 이름이였다. 참, 지금 생각해도 웃기다.

그 아이는 드디어 내가 말을 한다는 것에 신이 난건지 자신의 이름을 신효정이라 소개하였다.

"이름 예쁘네 너는 여기 왜 왔어?"

효정이는 내 질문에 침대에 앉아서는 조잘조잘 떠들기 시작했다. 자기는 주의력 결핍 때문에 왔다고. 의사 말을 들어보니 ADHD에 조증이라 했다고 자신은 아직 어려 무슨 말인지 하나도 못 알아 듣겠다며 언니와 친해지니 좋다고 하였다. 영혼이 참 맑은 아이였다. 나와는 다르게 말이다.
심심하고 따분한 일상에 효정이는 햇살 처럼 내게 다가와줬고 나는 그런 효정이와 점점 마음을 열며 친해졌다.

"서현이 언니, 그거 알아? 여기 무시무시한 귀신 사는거"

말도 안되는 말을 하는 효정이를 보며 귀신 같은 그런 건 없다고 하니 효정이는 이상하다고 느낄 만큼 화를 냈다. 그리고 심하게 발작을 하는 효정이는 그대로 집중치료실로 끌려갔다.

'내가 무슨 잘못을 한 거지? 나는 효정이가 속해 있는 망상에서 꺼내줄려 한 건데'

간호사는 당황하고 놀랜 내게 와줘 진정제를 놔주며 말해주었다. 효정이는 망상장애를 앓고 있기 때문에 부정적인 말을 하면 안된다는 말을 들었다. 하지만 나는 이해가 되지 않았다. 나는 효정이를 도와주려고 했으며 왜 저렇게 하는 건지 이해가 하나도 안 되었다.

알고보니 효정이는 어렸을 때 화재사건으로 인해 크게 화상흉터가 남고 그로 인해 망상장애가 생겼다고 한다. 그러나 아이처럼 순수한 면인지, 아니면 자기를 방어하려 그런 행동을 하는 건지 모르겠지만 조증도 같이 생겼다고 들었다. 나는 지금까지 내가 가장 불행한 아이 인줄 알았는데 세상에는 나 만큼 아픈 사람도, 그리고 나보다 더 아픈 사람이 있다는 것을 알았다.

효정이가 집중치료실에서 나온 후 나는 먼저 용기내서 말했다. 진심을 담아 사과를 하였고 햇살을 닮은 효정인 그런 나를 용서 해주었다.

병원에 입원한 지 어느 새 6개월이 지나고 나는 퇴원을 하였다
효정이는 내가 퇴원 한 이후에도 퇴원을 하지 못하였다. 효정과 작별인사를 한 이후 나는 다시 원래의 내 생활로 돌아가서 고등학교를 자퇴를 하였기에 19살에 검정고시를 준비하게 되었다.

검정고시가 끝나고 나는 대학에 가게 되었다. 과는 경영학과.로 가게 되었다. 지방에 있는 무난무난한 학교를 가게 되었고 무난한 학과를 가게 되었다. 성인, 내가 성인이라니 믿기지가 않는다. 성인이란 설렘도 잠시, 누군가 나를 찾아왔다.
누군가 했더니 가연이였다. 대학에 입학 한 나를 축하하기 위해 온 것이였다. 대학은 부산으로 가게 되었다. 왜 부산이냐면 그냥 멀리 가고 싶었다. 그래서 부산으로 온

것이였고 타지새활을 해야하기에 나는 기숙사에 들어가게 되었다.

기숙사 흡연실에서 담배를 피고 있는 나를 본 누군가 내게 말을 걸었다. 대화를 하다보니 코드가 잘 맞았고 그 아이는 개발 쪽과인 나랑 동갑인 남자애였다.

“우리 되게 빨리 친해졌다 나는 이서현이라 해, 너는 이름이 뭐야?

“나는 하원혁 . 같은 기숙사 인데 종종 나와서 담배 피자”

내가 먼저 말을 걸어서 친해지다니, 신기했다. 그리고 그런 사람은 원혁이 처음이였다. 원혁과 친해지고 내 인생은 이상하듯이 잘 풀렸다. 과에서 1등도 해보고 일도 하면서 학교 다니니 친해지는 이들도 많이 생겼다. 대학을 오니 예전과는 달리 발작도 많이 줄었다. 오랜만이다, 이렇게 편하고 좋은 감정이 말이다.

시간이 지나면서 나는 원혁과 다른 동기들과 어울려 지

내기 시작되었고 나의 예전 답답한 모습들은 많이 사라졌다.
그러나, 너무 불안했다. 인간관계가 많이 서툴어 나 때문에 상처 받는 이들이 생길까봐. 나의 그런 걱정을 본 원혁은 내 고민을 정말 자신의 일 처럼 받아주었다

"서현아, 걱정마 그게 너고 그리고 그럴 수도 있는 거야 너무 스스로를 완벽하게 보일려고 하지마, 서툰 너의 모습도 너고 그리고 그런 걸로 떠나면 그냥 그랬던 인연이였던거야"

남들에게 보이기 싫은 모습을 보여주는 걸 정말 싫어하는 내가 원혁이에겐 말을 잘 하였다. 내 아픈 상처 까지도 날이다. 그런 내 모습을 받아주고 고민 들어주는 이런 친구가 어디있을까. 원혁이는 정말 한마디로 표현 하자면 성인되서 친해진지 얼마 안 된 친구 인데 내가 성인되고 처음으로 마음을 연 친구다.

.

.

.

이렇게 서현이에게 행복을 준거 민석이였다. 민석은

신이기 전에 서현이를 꽤나 마음에 들었기 때문이다. 민석은 성인이기도 한 서현이에게 선물을 주고 싶었다. 바로 그 선물이 지금까지 나왔던 서현의 소중한 존재인 정한과 가연이와 원혁이였다. 민석은 싫증인 나 이 들을 서현과 인연의 끈을 끊으려 했지만 끊어지지 않았고 오히려 더 끈끈하게 붙어 있었다.

“재밌네, 이들의 인연이 끊어지지 않는 이 사실이”

민석, 아니 신은 그대로 구경하기로 한다. 더 이상 서현의 인생에 손대지 않기로..

“그대로 가봐 이서현, 너의 결말이 나는 꽤나 궁금해, 너의 인생의 마침표는 어떻게 될까”

민석은 알 수 없는 표정을 짓고는 다시 서현이의 일상을 훔쳐보기로 한다.

.

.

.

.

행복한 나날들을 보낸 나는 어느 때와 다름 없이 행복한 시간들을 보내고 있었다. 하지만 곧 어머니에게 전화를 받은 나는 그 자리에 굳어버리고 말았다. 전화의 내용은 외할머니가 돌아가셨다는 연락이였다. 부모님보다, 아니 어느 누구보다 내게 무한한 사랑을 주던 내 할머니가..

할머니가 하늘로 갔다는 소리를 듣고 나는 제정신이 아니였다. 제정신 일 수가 없었다. 그렇게 무한한 사랑을 주던 내 모든 것이 떠나다니 나는 믿을 수 없었다. 아니 어느 누가 제정신으로 살 수 있을까.

부고의 소식을 듣고 나는 정장을 입을 새도 없이 입고 있던 오 그대로 서울로 갔다. 장례식장에 도착하니 가족들 모두가 있었고 할머니의 영장사진이 있었다. 아직도 믿을 수 없다 불과 며칠 전만 해도 병원에서 내 손을 잡아줬던 그대였는데 이렇게 소리 없이 간다니.. 할머니의 영장사진을 본 나는 눈물이 멈추지 않았다.

"전능하신 신이시여, 제발 절 데려가 주십시오. 왜 불행만 주시고 작은 행운을 주셔서 제 삶을 포기 하지 않게 만드

십니까? 신이시여, 제발 절 데려가 주시고 제 할머니에게 생명을 주십시오. 전 더 이상 제 소중한 사람이 떠나는 걸 원치 않습니다. 제발.. 왜 마지막 까지 고통을 주십니까? 정말 당신이 원망스럽습니다. 제 전부의 젊었을 적 청춘을 다 빼앗아 갔다면 왜 마지막 까지 그러십니까? 신인 당신이 너무 원망스럽습니다."

있지도 않는 신을 외치며 나는 원망스러운 말을 다 내뱉었다 그럴 수 밖에. . 행복하지도 않는 날 이렇게 해복하게 살아갈 힘을 주었으면서 다시 이렇게 뺏어갔으니. 겨우 진정을 하고 상복으로 갈아입은 나는 실의에 빠진 어머니를 도와 손님을 맞이하고 부고금을 받았다.

"서현아, 괜찮아? 미안해 내가 못 갔지. 할머니께 너무 미안해 하지마 너는 정말 멋있고 강인한 아이이니 할머니도 걱정없이 가셨을꺼야 내가 못 가서 정말 미안해"

나의 연락을 보고 급하게 연락이 온 가연의 목소리를 듣자마자 겨우 참았던 눈물을 보인 나였다. 너무 힘들었고 너무 아팠다. 그리고 신이 너무 원망스러웠다. 끊었던 담배를 다시 피며 나는 신에 대해 생각 했다 정말 원망스러웠다.

"왜 저를 이토록 고통에 빠지게 합니까? 지금까지 남들은 겪지 못할 고통을 주었으면 이제 제게 행복을 주어도 괜찮지 않습니까. 제가 도대체 어느 잘못을 하였기에 저의 그대들을 왜 저를 떠나게 만듭니까..? 저는 이제 그대들을 잃고 싶지 않습니다. 제발 제게 더 이상 무언가를 빼앗지 말아주십시오."

아무도 없는 공간에서 혼잣말로 없는 신을 찾으며 나는 원망의 말을 다 내뱉었다. 당신이 너무 원망스럽고 싫다고. 이렇게 힘들게 할꺼라면 제발 나를 데려가 달라며 말이다.

너무 목 놓아 우는 나를 본 내 하나뿐인 동생은 말 없이 안아줬다. 나는 나보다 어린 동생에게 울음을 참지 못하고 아이처럼 펑펑 울고 진정을 한 후 입관이 다가와 할머니에게 쓴 편지를 들고 할머니의 마지막 얼굴을 보았다. 다시는 보지 못할 할머니를 보며 나는 할머니의 관에 내가 쓴 편지를 넣고 같이 닫는 걸 보았다.

'할머니, 그대가 있어 사랑했고 사랑했으며 또 사랑했습니다. 그대를 너무 사랑해 저는 아직도 눈물이 마르지 않습니다. 하나뿐인 외손녀, 사랑해주고 아껴주시고 제가 어찌 그 마음에게 보답 하겠습니까.. 그대를 똑 닮은 저의 어머니, 그리고 그런 어머니를 닮은 저. 평생을 그토록 고생에 사시던 우리 할머니, 그 곳에서는 다시는 아프지 마시고 그대가 주신 이 과분한 사랑 천천히 갚아나도록 노력하겠습니다. 나의 사랑 할머니, 나의 우상 할머니. 이제 그대가 좋아하는 꽃들 옆에서 편히 쉬시기를 바랍니다. 사랑합니다.'

입관을 마치니 이제 겨우 진정이 되어 2일동안 먹지 못한 밥을 먹고 난 뒤 손님을 마주하고 부의금를 정리 하고 미뤘던 일들을 장례식에서 하고 나니 어느새 발인식이 되었다. 서글프게도 발인인데 왜 비가 이렇게 억수로 오는 걸까 비를 맞으며 화장을 끝맞쳤다. 나의 전부를 떠나보낸 슬픈 여름 날이였다.

무사히 마지막 장례를 마치고 집으로 돌아갔다. 할머니가 내게 마지막으로 준 꼬깃꼬깃한 내 어린사진을 꼭 쥐며 말이다.

그 날이였다. 이 이야기의 시작인 내 이야기의 시작인 그 병원에서 시작이.

.

.

.

.

.

내가 왜 이렇게 되었을까 그 날 나는 술을 진탕 마시고 그대로 밧줄을 사서 목을 매달았다. 서서히 기억이 끊길 때쯤 소리지르는 소리가 나고 나는 그대로 기억을 잃고 깨어나니 이 병원 이였다. 조금만 늦었다면 죽었다는 가연이의 말을 듣고는 아쉽다는 생각이 들다니 나도 참 미친 것 같다.
병원에 입원 해 있는 과거를 회상해보니 참 만만치 않는 삶을 살았다는 생각이 들었다. 그리고 고작 이걸로 죽는 내 자신에게도 화도 났다. 아직 내 꿈을 찾지도 못하였는데 말이다.
근데 그러고 보니 그 때 나를 구했던 것은 누구였을까 아직 찾지도 못하고 누구인지 전혀 감이 잡히지 않는다. 정말 신이라는 게 있던 것일까..?

그렇다 서현이를 살렸던 존재는 민석이여디. 서현이 그

렇게 증오하던, 민석이였다. 민석은 서현이를 죽게 냅두고 싶지 않았다. 수명이 많이 남는 걸 떠니 민석이에게 서현은 애과 증이 가득한 애증의 존재 였으니..

"서현아, 나는 네가 죽기를 원하지 않아. 이렇게 무리력하고 심심한 내 인생에 들어온 건 너 잖아. 그리고 아무 이름과 존재 가 없었던 그야말로 무(無)인 내게 존재감과 이름을 붙여준 건 너잖아. 이서현"

의아할 것이다. 민석의 이름을 붙여준 것도 그럴 새도 없는 이 아이가 어떻게 신을 만들어 냈다니, 처음 이야기가 나왔을 때 서현이는 심장이 약해 서울에서 먼 진도까지 요양차 내려왔다 하지 않았는가. 그 어린 나이인 서현은 처음으로 꿈에서 신을 만나게 되었다. 아, 그 때는 아직 신이 아니고 무(無)인 존재 였지만..

아무 존재가 아닌 민석은 서현의 꿈에서 처음 만났다. 서현은 이상한 낌새를 느끼고 그에게 민석의 이름을 붙여줬다. 아무 능력도 없는 그는 이름이 생기자 능력이 생겼다. 흔히 우리가 말하는 신의 능력이..

서현이 어린시절 겪었던 일은 정말 민석이 한 짓이 아니였다. 그냥 어린 나이 운 나쁜 일이 생길 뿐이였다. 비록 학창시절에 있었던 일은 민석이 한 짓이 맞긴 하지말이다. 민석이 서현이에게 애증을 느끼는 이유는 모든 나쁜 일이든 자신에게 이유를 찾는 서현이 마음에 안 들어서도 있다. 서현은 아무 존재이 아닌 자신을 신으로 만들어준 특별한 아이인데 저렇게 약해 빠진 소녀 라는 게 마음에 안 들었다. 그래서 서현이에게 운명이라 불리는 존재들을 주었다. 원혁과 가연이와 정한 등 서현이에게 좋은 인물들을 서현이의 인생에 끼어 넣었다. 행복을 찾기 바래서도 있지만 이게 선물이라 생각했기에.

학창시절 너무 안 좋은 일을 반복적으로 준 것 같아 서현이에게 선물을 주고 싶어 대학생활은 꽃 길을 걷게 하고 싶었다. 하지만 서현이 저렇게 허무없이 떠나려 할지는 몰랐다. 서현이의 할머니 일은 서현이에게 정말 해가 될지 몰랐다. 이제 그만 수명이 다한 인간을 데려간 일이니 말이다. 목숨을 끊으러 했던 서현을 살리고 민석은 나지막하게 말했다

“이게 마지막이야 내 능력은, 이제 네게 위험이 가는 일은 없을꺼야 그 동안 미안했고 나를 의미있는 존재로 만들어줘서 고마웠어”

인간을 살리는 데 힘을 쓴 신, 민석은 하늘의 규칙을 어겼기에 다시 무(無)의 존재로 돌아갔다.

.

.

.

.

이상한 꿈 만을 꾼 것만 같았다. 하지만, 정말 마지막 같은 기분이 들었다. 내게 주어진 이 소중한 삶의 기회가 말이다. 나는 입원해있는 동안 고마웠고 미안했던 사람들에게 인사말을 남겼다. 다시 살아난 이 기회를 소중하게 여기기로 하였다.

“앞으로는 정말 열심히 살꺼야. 다시는 이런 짓따윈 하지 않을 것이고 멋있게 살꺼야.”

나는 입원해 있는 김에 어떤 것을 해야 할지 고민 했다. 무엇을 해야 내 인생에 특별한 경험이 될까 싶어 열심히 자료를 찾고 꿈이라는 것에 가까워졌다. 역시 나는 건축이 좋은 것 같다. 이게 무슨 뜬금없는 소리냐고 하겠지만 어렸을 때부터 나는 무엇을 만드는 것이 좋았다. 비록 심장이 약해 할 수 있는 지는 모르겠지만 나 뿐만 아니라 소중한 인연과 같이 사는 공간을 내 스스로 만들고 싶었던 게 내 오랜 꿈이였으니 말이다.

경영학과에서 건축과로 전과하고 드디어 내가 원하는 것을 배울 수 있었다. 그러나 아예 정보가 없는 상태로 시작할려니 너무 어려웠다. 중간에 그만두고 싶었지만 막상 배우니 너무 재미있었고 내 꿈에 한 발작 다가갈 수 있어 너무 좋았다. 이렇게 행복한 삶이 있는데 나는 왜 삶을 포기하려 했을까

아쉽게도 내가 직접 현장일은 나갈 수 없었다. 당연하게도 건강문제였다. 그래서 나는 건축 디자인을 시작했다. 건축이라는 게 어렵고 위험한 일이지만 이렇게 뿌듯할 수가 있을까 너무 재미있고 보람찬 나날들이 연속되어 있는 날들이였다.

그렇게 시간이 지나고 원혁의 휴가날이 되었다. 오랜만에

나는 원혁을 본다는 생각에 예쁜 옷을 입고 밖을 나섰다. 이렇게 꾸민 건 별 다른 이유는 없었다. 그냥 내가 가장 힘들 때 옆에 있어줬던 원혁에게 달라진 모습을 보여주고 싶었기 때문이다.

"오랜만이다. 잘 지냈어? "

오랜만에 친구를 만나서 그런가 묘하게 들뜬 마음으로 놀고 난 이후 내 건축 디자인을 처음으로 남에게 보여줬다. 원혁은 그걸 보더니 정말 멋있다고 해주었다. 이렇게 남들에게 인정 받는 게 설레고 들뜬 일이였을까..

"나 요즘 건축 디자인 배우고 있고 내 꿈에 다가가고 있어. 예전에는 사는 것 자체로 힘들고 남들 만큼이라도 사는 게 소원이였는데 지금 너무 행복해. 나 이렇게 행복해도 되는 걸까?"

술을 마시며 살짝 힘들다는 내 표정을 읽은 것을까 원혁은 지금 당장도 너무 충분히 잘하고 있고 멋있다고 해주었다.
원혁과 헤어지고 나는 집에 와서 또 다시 건축 공부를 하고 있으며 서서히 내 자신을 성장시키고 있었다.

차가운 밤바다의 심해처럼 어둡고 깜깜한 나를 따뜻하고 보기만 해도 가슴이 뻥 뚫리는 여름 낮바다로 꺼내준 나의 그대들에게 너무 감사하고 사랑함을 담아 기도한다.

'영원한 행복을 바랍니다. 더 이상 행복이 불행으로 바뀌는 것을 원하지 않습니다. 불행이 와도 웃을 수 있는 그러한 날을 꿈꿉니다. 제가 아끼는 그들이 절 아껴주고 영원히 이 순간이 지속되길 또 다시 꿈꿉니다.

END

제 2화 꿈

나는 행복한 아이였다. 어느 누가 와도 부러워할만 한 삶을 가진 그 아이가 바로 나였다. 그래서 그런가 나는 시기질투를 많이 받았다. 하지만 어쩌겠나, 내가 인기가 많은 탓인걸.

"서희수 나와!!"

예쁜 옷을 고르고 메이크업을 받고 있는 데 김미윤이 찾아왔다. 미윤이는 나랑 엄청 오래된 베스트 프렌즈이다 거의 22년..? 어떻게 이렇게 오래되었냐면 엄마끼리 조리원 동기였기 가능했던 것이다.
있는 집 자식 끼리 다닌다는 말이 있지 않는가 우리는 누가봐도 예쁘고 잘난 아이들이다. 대학도 좋은 대학에 나는 시각 디자인과, 미윤이는 패션디자인과, 확실히 정말 잘 어울리는 것 같다.

22살인 나는 이제 3학년인데 아직 까지 무엇을 하고 싶은 지 모르겠다. 과연 내가 꿈을 찾을 수 있을까? 지금도 하고 싶은 것도 없고 그냥 예쁘니까 멋있어 보이니까 골랐는데 과연 내가 어떤 것을 하고 싶은 지 고를 수 있을지 의문이다.

때는 내가 10살이였다. 한참 예쁜 걸 좋아하는 나이. 나는 그 어느 여자아이 처럼 공주 머리핀을 하고 공주 옷을 입는 것을 좋아했다. 이유는 간단 했다 예쁘니까.

"우리 희수는 언제까지 공주 옷 입을꺼야? 이런 옷은 어때?"

부모님이 골라준 옷은 지루하기 짝이 없었다. 세련되긴 하지만 특색 없는 옷. 외동인데다 힘들게 가진 나여서 그런가 내가 원하는 모든 것을 다 들어주던 부모님이였다.

며칠이 지나고 옷을 입어 달라는 부모님의 뜻을 못 이기는 척 사준 옷을 입고 학교에 갔는데 그 날은 부모님 참여수업날 이였다. 아직까지 그 날을 잊을 수 없다 내 옷을 다 보는 어른들의 눈빛을.

알고 보니 내 옷은 한 벌에 몇 십만원을 하는 옷이였고 고작 초등학교 수업에 그런 옷을 입은 게 이상했나보다. 그 날 이후 아이들은 나에게 친한 척 다가왔고 집에 초대하고 싶다는 말을 많이 들었다. 정작 나는 그런 거에 관심이 없는데 말이다. 어린 나이 부터 떠받던 삶을 살아서 그런 가 딱히 무언가에 흥미도 가지 않고 하고 싶은 것도 없었다.

그런데 이렇게 흥미가 돋는 애는 처음이였다. 이름이 이희연이라 했나.. 희연이라는 아이는 내 예측에 들어오지 않는 아이였다. 책을 좋아하고 조용한 걸 좋아하지만 공부는 잘 하는 아이. 난 그 애가 마음에 들었다.

"희연이라 했나? 나는 희수라 해 우리 이름도 비슷한데 같이 다닐래?"

"아니, 딱히 난 혼자가 편해."

거절 당해 본 적이 없는 나는 그 애가 좀 신선했다. 재밌었다. 내 마음대로 안 되고 자기가 원하는 대로 하는 이 아이가 재밌기도 하고 부럽기도 했다. 나는 알겠다면서 그 자리를 떠나고
김미윤이랑 이야기 하였다. 이희연이란 아이와 놀고 싶지 않냐면서. 미윤이는 내 말을 듣자 질색하는 표정을 지었다.

"쟤랑? 왜 나는 싫어 쟤 임대 아파트 살잖아 가난해 보여서 싫어"

우리 동네는 임대아파트가 차별 당하는 구조였다.
당연하다 다들 잘 사는 집인데 그 아파트 혼자 있으니 임대 아파트 사는 애가 저렇게 당당하다니. 나는 이희연이 더 궁금해 졌고 친해져 보고 싶다.

"너 마음대로 해. 나는 쟤랑 친해질래 신선해"

나는 그 이후 이희윤을 잘 챙겨주고 점점 더 친해져갔다. 시간이 지나니 나에 대한 적대감이라 해야 하나 점점 풀

리는 것 같았다.

"야! 서희수 나랑 언제 갈껀데"

희윤이랑 놀다보니 미윤이의 존재를 잊은 나는 그제야 알아챘다듯이 미윤과 집을 같이 갔다 희윤이에게 작별인사를 하며 말이다. 나는 미윤이에게 희윤이 신선하고 재밌다고 말해주었다. 미윤은 내말을 듣더니 역시 그럴 줄 알았다며 여전하다고 말해주었다.

나는 그런 아이였다. 가지고 싶거나 재밌는 건 다 내가 가져야 하고 금방 싫증이 나는 그런 세상물정 아예 모르는 아이 말이다.

또 다시 금방 싫증이 날꺼라는 말에 다르게 나는 점점 더 희윤과 친해지고 있었다. 희윤과 같이 다니는 나는 다른 이들에겐 그런 소리를 들었다.

'예쁘고 성격도 좋은데 저렇게 겉도는 애까지 챙겨주는 좋은 친구'

그게 나를 칭하는 말이였다. 그리고 나는 그렇게 불리는 게 썩 나쁘지는 않았다. 오히려 좋았던 것이 가까웠다.
그러던 어느 날 희윤이 나를 골목으로 불렀다. 자기도 내가 다니는 무리와 다녀도 된다는 물음이였다. 나는 나쁜 게 없었기에 내 친구들을 소개 시켜주고 같이 다니기 시작했다.

가난한 여자애 한명이랑 부잣집 아이들. 그게 우리가 불리는 이름이였다. 나는 그게 정말 마음에 들지 않았고 희윤이 그렇게 불리는 게 싫어 집에 데리고 와서 옷과 꾸미는 방법을 알려주었다.

"걱정마, 내가 안 입는 거야. 나보단 확실히 네가 잘 어울리네 이쁘다 희윤아"

나는 그렇게 희윤이를 잘 챙겨주었다. 그 당시에는 몰랐다. 이런 애가 나를 배신 할 꺼라는 생각 조차 안 들었다.

희윤이 나를 배신한 건 어찌 보면 당연한 일이다. 평생 그런 걸 경험하지 못 했는데 나로 인해 가지게 되었으니 말이다.
나를 배신한 계기는 사소했다. 내가 자신을 무시한다는 느낌을 받고 그걸 다른 이들에게 말해서 내 평판이 떨어지는 고작 겨우 그게 다였다. 우습지 않는가, 겨우 그거 가지고 내 평판이 떨어질꺼라 생각 하는 게 재밌었다. 아니, 화났다에 가깝다고 해야 하는지..

"희수야 미안해 나는 그런 의도가 아니였는데.. 네가 예전보다 나를 어울려 주지 않았기에.."

나는 이희윤이 하찮아 보였다 겨우 그거 가지고 그런 희윤이 한심했다. 더 이상 신경 조차 쓰이기 싫은 그런 희윤을 용서하는 대신 다시는 같이 다니지 말자고 하였다. 미윤이 왜 용서해줬냐 물음에 하찮기에 신경 쓰기 싫다 하니 역시 그럴 줄 알았다며 역시 나 답다고 하였다.

도대체 나 다운게 뭐기래 저렇게 말을 하는 건지 꽤나 거슬렸지만 그게 왜 거슬린지 몰라서 그냥 넘어갔다.

그게 내 10살 때 있었던 일이였다. 10살 치고는 꽤나 당돌한 아이가 아니였나 싶다고 생각한다. 그리고 그런 애가 나와 다니면 언젠가는 멀어졌을 꺼라 생각한다.

옛날 일을 회상하다 보니 벌써 학교생활관에 도착했다. 원래 같으면 자취를 하고 싶었지만 부모님의 반대로 이곳 기숙사에서 1년만 살고 자취하기로 했다. 하여간 멀리 간다고 믿음이 안 간다고 이런 바보 같은 김미윤을 붙여주다니 마음에 들지 않는다.

"서희수, 너희 어머니가 나보고 너 어제 어디갔냐기래 나랑 술 마시다가 잤다고 했어"

"그래 고마워"

"너 그래서 어제 그 남자랑 어떻게 된건데"

"알아서 네가 뭐 어떻게 하게 쓸데 없는 거 궁금해 하지 말고 공부나 해"

미윤은 항상 그랬다듯이 알겠다며 나한테 과자를 던져주고는 다음에 이야기나 해달라고 했다.
성인이 된 나는 정말 그야말로 팜므파탈이였다. 성인이 되고 누가 봐도 뛰어난 몸매에 화려한 외모 그 어느 남자가 나를 안 좋아하겠는지.. 그리고 그런 관심이 꽤나 괜찮은 것도 있었다.

“야 김미윤 오늘 클럽 갈꺼야?”

“당연한 거 아니야?”

미윤과 나는 허구한 날 클럽을 다녔다. 뭐 나야 내게 다가온 남자들의 반응이 재밌었기에. 대차게 까이는 모습이 봐줄만 했기 때문이다. 이러한 생활도 지루해질 무렵 이였다. 그를 만난 게.

과제 때문에 도서관에서 공부를 하는 중 꽤나 훈훈하게 생긴 남자가 들어왔다. 과잠을 보니 같은 학교 같은데 뭔가 허당끼가 있어 보이는 얼굴이였다. 안경끼고 체크셔츠를 입은 그는 내게 꽤나 신선하게 다가왔다. 그러고 보니 그는 예전에 내가 데리고 다녔던 이희윤과 비슷한 분위기가 났다.

예전처럼 나는 흥미감을 가지고 그를 며칠 동안 관찰했다. 근데 어떻게 저렇게 사람이 패턴이 똑같을 수 있을까.

항상 10시에 도서관을 와서 13시에 샌드위치나 도시락으로 간단하게 끼니를 해결하고 22시에 집에 가는.그야말로 모범생이 따로 없었다. 저런 타입은 간단했다. 그냥 주변에 계속 맴돌면 오게 마련이니까.

며칠동안 나는 그의 주변을 맴돌았다. 맴돌지 한 달이 될 무렵 그가 내게 말을 걸었따. 역시나 말을 걸 줄 알았다. 하긴 이렇게 외모도 뛰어나고 몸매도 예쁜 데 눈길이 안 가는 게 이상하지 않는 가 근데 내게 말을 건 이유가 고작 거슬려서라니 자존심이 상했다. 무려 과탑인 내가 주변에 맴도는 데 자기가 뭐라도 되는 냥 공부하는 데 거슬려서라니 마음에 안 들었다.

알고보니 그는 의대를 다니고 있는 학생이였고 순수 자신의 힘으로 온 사람이였다. 흔하지 않은 느낌이여서 그런가 자존심은 상했지만 궁금했다. 그가 어떤 사람 인지 내 호기심을 자극해 왔다.

시간이 지나고 어느새 기말고사 기간이 왔다. 시험기간인 만큼 나도 슬슬 열심히 공부하기 시작했다. 역시나 이번 학기도 난 과에서 과탑을 차지했다.

흥미가 떨어질 무렵 그가 내게 말을 걸어왔다.

"그 자주 보이던 여자 맞죠..? 그 때는 제가 예민해서 그랬던 것 같아서요. 죄송해요"

소심하게 내게 다가와 사과하는 모습이 꽤나 귀엽게 다가와서 그런가 나는 그에게 웃으며 괜찮다고 미안하다면 커피나 사달라 했다. 그는 내 말을 듣더니 당황하며 지금 카페를 가자고 했다.

"카페는 됐고, 지금 마침 점심시간인데 점심이나 먹으러 가죠"

당황한 그가 귀여워 내가 먼저 점심을 같이 먹자고 하며 점심을 먹으러 가는 길 그가 왜 자꾸 자신을 쳐다보냐는 물음에 나는 한 치의 망설임도 없이 잘생긴 것 같아 쳐다봤다 하니 그의 귀가 새빨개졌다.
역시 내 눈은 틀리지 않았다. 이 남자는 분명히 내 따분한 일상에 활력을 줄 꺼라고 이상한 확신이 들었다.

"점심 뭐 먹을래요, 뭐 좋아하세요?"

조심스럽게 자신감 없는 목소리로 내게 메뉴를 물어보는 모습이 웃기기도 하고 재미있어서 그에게 골라보라고 하니 그는 그러면 자기가 자주 가는 식당을 가자고 하였다.

나는 당연히 양식인 줄 알았는데 그를 따라간 곳은 무슨 다 쓰러져 가는 허름한 백반집이였다. 이런 곳에서 한 번도 먹어본 적이 없는 나는 마음에 들지 않았지만 그래도 데리고 온 성의를 생각해 먹어보기로 했다.

"그 이름이 뭔지 물어봐도 될까요?"

나는 그 소리에 큰소리로 웃고 말았다. 이 때까지 내 이름을 모르다니 말이다. 그러고 보니 나도 그의 이름을 몰라 내 이름을 알려주고 그에게 이름을 물어봤다.

"저는 '윤혁' 이라 해요. 서희수.. 이름이 되게 예쁘시네요 저는 20살인데 몇 살 이세요?"

20살이라니 난 당연히 동갑인 줄 알았는데 나 보다 2살이나 어리다니 22살이라 하니 윤혁이란 그는 살며시 미소를 지었다.

"뭐야 왜 웃어요 제가 나이와 다르게 어려보이죠?"

"2살 차이잖아요"

나는 그의 모습이 꽤나, 아니 많이 마음에 들었다. 소심한데 자기 할 말을 하는 모습이 내게 매력적으로 다가왔다.

그렇게 이야기 하다보니 음식이 나왔다. 처음보는 음식이였다. 무슨 메뉴라고 물어보니 그는 해장국이라 했다.
해장국을 모르다니 무슨 세상 물정 모르는 공주님이라 할 수 있겠지만 이런 음식은 처음봤다. '선지해장국' 라는 걸 평생 셰프가 해준 음식을 먹은 내가 어떻게 알까 고민하며 먹어보니 생각보다 꽤나 괜찮았다.

"해장국은 왜 먹으러 왔어요?"

"이런 거 안 먹어 본 공주님 같은 느낌이여서 먹어봤으면 좋겠다는 생각이 들었어요"

신선했다 이 남자가. 보통 같으면 파스타나 먹을텐데 이런 음식을 먹은게 신선했고 꽤나 맛있었다.

"밥도 맛있었는데 카페나 갈까요? 제가 살게요"

원래 같으면 여기서 헤어질테지만 재밌기도 하고 신선해서 카페 핑계로 말해보니 그는 오늘은 공부를 해야 해서 안 되고 주말에 보자고 했다. 알고보니 이 남자 선수가 아닐까? 자연스럽게 다른 약속을 잡다니 재밌었다.

주말이 되고 나는 오랜만에 어떤 옷을 입을 지 고민을 했다. 아, 오늘 만큼은 그 남자를 .무너트려봐야 하는데 이런 생각을 가지며 말이다. 너무 꾸미기도 안 꾸미고 그래서 적당히 무난한 옷을 입고 집을 나섰다. 기사님의 차를 타고 지하철 역에 도착하니 이미 그는 도착 했다. 내가 차를 타고 올 지 몰랐던 모양인지 당황한 기색이 여색 했다.

"윤혁씨 일찍 왔네요. 제가 좀 많이 늦었죠"

윤혁은 긴장하다듯이 괜찮다고 하였다. 역시 이래야지 내가 원하는 모습은 저런건다. 나 때문에 당황하고 어쩔 수 없는 모습 재밌지 아니한가.

.

.

.

남들이 내게 항상 그랬다. 서희수 너는 사이코 같다고. 내가 왜 사이코 같다는 건지 나는 내가 잘난 것이고 그걸 잘 알고 있는 사람 중 하나 일 뿐인데 말이다. 그러고 보니 어릴 때 이희윤도 내게 그랬다.

이희윤도 내가 완전히 연을 끊을 때 내게 그랬다. 서희수, 너는 네 자신 밖에 없고 남들을 배려하지 않고 사람을 관찰하는 게 거지 같다고.

나는 이희윤이 이해하지 못 했다. 없이 살아서 그런가 저렇게 쉽게 상처 받는 꼴이 말이 아니였었다. 내가 사람을 잘 못 봤던 것일까.

내가 처음보던 이희윤는 그렇지 않았는데 점점 시간이 지나면서 남들과 똑같은 모습으로 변하는 모습이 썩 마음에 들지 않았지만 같이 다녀줬는데 저렇게 말하다니 난 그 당시에 이희윤이 매우 괘씸했다. 그래서 내친건데 말이다. 난 아직도 그 당시 내가 뭘 잘 못하고 그 애가 뭐 때문에 상처 받는 지 일절 모르고 관심도 없었다.

.

.

.

윤혁은 내게 긴장한 말투로 내게 말했다. 오늘 왜 이렇게 꾸미고 왔냐면서 추워보인다며 외투를 내게 주었다.

뭐가 추워보인다는지 요즘 22살은 다 이렇게 입고 다니지 아닌가. 나는 속으로는 전혀 이해를 할 수 없었지만 윤혁을 위해 괜찮다며 신경 써주어서 고맙다고 했다.

"희수씨 뭐 좋아해요? 사실 희수씨가 뭘 좋아할지 몰라서 계획을 여러개 짜왔는데 뭐 좋아햐요?"

참 특이한 남자다. 안지 얼마 안된 여자를 위해서 이렇게까지 한다니 말이다. 어차피 내가 잘나서 한 번 어떻게 해볼려고 저렇게 순진한 척을 하는 것 같지만 뭐 잘생기기도 하니 한 번 속아주는 척을 해보는 것도 나쁘지 않아 보였다.

"밥은 됐고 시간을 저희가 늦게 봤으니 술이나 한 잔 해요"

"술이요..?"

술을 생각 조차 안 해보았는지 당황한 표정으로 되물어 보는 윤혁을 보며 어떻게 보면 다른 이들과 달리 보이기도 하였다.
항상 나와 술 먼저 마시자는 사람들은 목적이 있었으니 말이다.

윤혁은 따로 처음 봤는 데 술은 아닌 것 같다 하였다. 나를 거절 하는 게 처음이여서 그런가 뭔지 모를 오기가 생겨났다. 정확히는 이 남자를 굴복 시켜보고 싶었다. 그러는 편이 더 재밌을 꺼 같기 때문이다. 그러기 위해서는 시간이 오래 걸리는 기에 한 번 시간이 꽤 걸려도 나쁘지 않을 꺼 같아 시간을 써보기로 했다.

"그럼 윤혁씨가 하고 싶은 거 하죠. 저랑 뭐 하고 싶으세요?"

내 말이 끝나기 무섭게 윤혁은 나를 어디론가 끌고 갔다.

어딘지 생각할 겨를도 없이 윤혁이 나를 데리고 간 곳은 영화관이였다. 저번 처럼 생기치 못한 곳으로 갈 줄 알았는데 지긋이 평범한 곳이였다.

"영화 뭐 좋아해요?"

내 물음에 윤혁은 자기는 영화를 가리지 않는다고 굳이 꼽으자면 공상영화라 했다. 나도 공상영화를 되게 좋아해 공통점을 찾은 것 같아 기분이 이상했다.
이 간질간질한 기분 뭔 기분인지 모르겠다. 그러나 하필 그 날 상영장에는 공상영화는 없었고 그냥 평범한 액션 영화를 봤다.

"희수씨는 영화 재밌었어요? 저는 그냥 이 장면이 되게 별로 였어요?

"윤혁씨도요? 저도 그 장면 되게 별로였는데"

영화에 대해 이야기 하다보니 어느새 시간이 늦은 시간이 되었고 윤혁은 나를 데려다 준다 하였지만 난 기사가 데려왔다고 차를 타고 기숙사 까지 갔다. 그러고 본 웃길 수도 있겠다. 집도 아니고 고작 기숙사를 가는 데 차를 타고 다니니 말이다.

윤혁과 논 것은 꽤나 재밌었다. 다른 사람들과는 다르게 평범하게 나를 봐주는 게 감정에 무감각한 나도 느낄 정도 였으니 말이다. 원래 이런 걸 싫어하는 데 그 사람이 끌렸따. 그리고 궁금했다. 내가 과연 내 본 모습을 보여줘도 그 사람이 나를 안 떠날지..

어느 새 윤혁과 논 지 일주일이 지나고 난 윤혁에게 연락을 하지 않았다. 끌리기는 했지만 지금 당장은 내가 1등을 해야 할 강박에 사로잡혔기 때문이다.

"희수씨 바쁘세요?"

윤혁은 내가 연락을 하지 않자 기숙사에 찾아왔다고 하

였다. 그 시기는 이제 곧 종강이여서 기숙사를 나오게 되어 일어났던 날이였다. 나는 윤혁에게 왜 왔냐하고 물어보니 윤혁은 내 생각이 나서 왔다고 하였다. 윤혁의 손에는 무언가 들고 있었다. 무엇이냐 물으니 윤혁은 우물쭈물하며 내게 그 물건을 주었다.

"어? 꽃이네요. 왠 꽃이죠?"

"지나가다가 희수씨 닮은 꽃이 있기래 사왔어요"

아.. 정말 별로다. 무슨 사이도 아닌데 이렇게 까지 하는게 그런데 별로인데 재밌긴 하다. 지금까지 사람은 목적때문에 내게 그랬다면 이 사람은 의도도 없고 정말 순수하게 저렇게 내게 구애 하는게 신선하고 웃기기도 하다.

"윤혁씨 저 좋아해요?"

너무 직설적인 물음이였는지 윤혁은 당황하며 그런게 아니라 한다. 빨개진 얼굴로 그러는게 나만 봤으면 좋겠다는 생각이 들었다. 난 윤혁의 꽃을 받고 먼저 들어갔다.

내가 꽃을 들고 오자 미윤은 무슨 꽃이냐 물어고 윤혁이 준 거라 하자 미윤은 혀를 차며 이제 그런 짓을 그만 하라 하였다. 이렇게 재밌는 일은 내가 어떻게 그만하겠는가.

"서희수 이번에는 무슨 꿍꿍이야. 이번에는 재밌나봐"

"재밌지, 그럼 저렇게 의도 없이 나오는 게 나중에 표정이 볼 만 하겠는 걸?

"서희수 네가 그렇지 뭐"

미윤의 말 한마디에 나는 윤혁에게 받은 꽃을 미윤의 얼굴에 던지고는 한 번만 내게 그렇게 행동 하겠다는 간에 다시는 내 곁에 못 있게 만들어준다 했다.

내 말에 미윤은 얼굴이 새파래지며 미안하다고 용서를 구는 꼴이 우스워서 방을 나갔다. 역시 인간은 저런 존재이다. 자신이 불리하거나 잘 못하게 되면 내 밑에서 설설 기는 꼴. 원래 저게 당연하다. 난 위치가 높은 사람이니 말이다. 물론 이 사상을 드러낼 생각은 없다. 드러내면 이게 언제 약점이 될지 언제 내게 피해로 올 수도 있으니 말이다.

그러고 보니 김미윤과 아무리 이렇게 오래되었다해도 김미윤을 왜 안내쳤더라..

.

.

.

김미윤과 나는 어릴 적 부터 같이 다녔던 한 쌍이였다. 어머니끼리 조리원에서 만나 친해졌는데 이게 웬걸 퇴소하고 보니 동네가 같은 게 아닌가. 그것도 아주 부잣집 동네.. 어머니는 급이 맞다 생각해 미윤과 나를 같이 다니게 했다. 어릴 적 부터 어머니는 내게 항상 말 하는 말이 있다. 급이 맞는 사람들 끼리 다녀야 한다는 말.. 그래서 이희윤과 내가 다닐 때도 어머니는 매우 싫어했다. 얘가 음침해 보이고 임대 아파트에 산다는 그 이유였다.

미윤이 나를 두려워 하는 이유는 그거다. 나는 내 마음에 들지 않으면 사정없이 내버리니까 말이다. 어쩌겠나 미윤의 부모님이 내 부모님의 부하직원 인걸..

하지만 이렇게 잘 맞고 내 곁에 있는 건 미윤 밖에 없었고 그래서 같이 다녔다. 그리고 예쁘장하니 내게 잘 하는 것도 마음에 들었으니..

.

.

.

밖에서 담배를 피고 있는 나를 본 미윤은 슬며시 다가와 나와 같이 담배를 폈다. 그리고 미윤은 내게 사과했다. 다시는 내 심기를 건들지 않겠다며 미안하다 했다.

"뭐, 괜찮아. 아, 근데 담배가 없네..?"

미윤은 내 말 한마디에 내 담배를 사러갔고 나는 그곳에 대한 묘한 희열감을 느꼈다. 역시 돈이 최고고 지위가 최고다. 이럴 줄 알았다면 시각디자인과를 가지 말고 처음부터 경영학과를 가서 아버지의 사업이나 물려받을 걸 그랬다.

내가 어울리지도 않은 시각 디자인과를 간 이유는 단순히 재밌어 보이기에 간 것이다. 경영학과는 평범하니 재미없지 않는 가. 물론 시각 디자인과 가는 조건으로 경영학을 복수학 하기로 했지만 말이다.

삶이 꽤 지루하다. 남들이 맞춰주는 삶, 떠 받는 삶을 살아 내 성격이 이렇게 비틀어진건지 잘 모르겠다. 그러나 나도 은연 중에 그것을 즐기고 있으니.. 어쩌면 그게 문제일 수도 있겠다는 생각이 들었다.

하지만 뭐 내가 잘난 건 사실이 아닌가. 나처럼 이렇게 멋진 사람이 있을까 과연..?

.

.

.

희수의 근거 없는 자신감은 다른 이들을 불편하게 했다. 하지만 희수의 자신감은 아무도 말리지 않았다. 오히려 다들 동경하는 게 더 가까웠으니 말이다.

희수는 어렵게 가진 자식이여서 그런가 어릴 때부터 부모도 희수가 하고 싶은 일은 다 지원해주었다. 그게 문제

일 수도 있겠다. 희수가 그렇게 삐뚤어지고 이상한 방향으로 성장한게..
희수가 다른 아이와 다르다는 걸 희수의 부모는 알았지만 침묵을 했다. 그럴 수 밖에 어렵게 가진 아이인데 남들과 다르다는 걸 어느 부모가 인정을 할까.

희수는 그렇게 아무런 제약도 없이 성장했다. 그리고 자신의 지능이 고지능인걸 알았다. 알고보니 희수는 [1]'자기애성 인격장애' 였다. 그래서 선과 악을 이해 못하고 자신을 중심으로 생각했던 것이다.

희수는 그런 아이였다. 대인관계에서 남을 위할 줄 모르고, 자신의 중요성을 지나치게 느껴 모든 것이 자기 중심적이다. 자기의 능력에 대해 비현실적인 자신감을 가지고 있고, 능력, 재물, 권력, 높은 지위, 아름다움이나 이상적 사랑을 바라는 아이였다.

---

[1] 자기애성 인격장애 환자는 무한한 성공욕으로 가득 차 있고 주위 사람들로부터 존경과 관심을 끌려고 애쓴다. 지위나 성공을 위하여 대인관계에서의 착취, 공감 결여, 사기성 같은 행동 양식을 보인다. 특히 형제 없이 자란 사람에게 많이 생기며, 연극 등 예술분야, 운동, 학문연구를 하는 전문인들에게 발생하는 경향이 있다. 스스로 천재라고 생각하는 사람이 많다. 평생 유병률은 1% 정도이다.

자기애성 인격장애[narcissistic personality disorder] (서울대학교병원 의학정보, 서울대학교병원)

희수의 이러한 목표가 달성된다 하더라도 만족하지 못하고 더 큰 목표가 달성되지 못했다고 실망하며 존경과 관심의 대상이 되고자 끊임없이 애쓰고 있었다..

그리고 희수는 내면의 충실보다는 겉치장에 더 관심이 있고, 친구를 깊이 사귀는 것에 별 관심이 없고, 멋진 사람들과 어울리는 것을 좋아한다. 다른 사람이 자신을 비판할 때는 상대방에 대한 무관심과 분노로 인해 상대를 모독하는 그런 아이. 희수가 그런 성격을 가지고 있어 자신이 매우 뛰어난 사람이라고 늘 믿고 있었다.

.

.

.

미윤이 혼자 있는 나를 보고는 사온 담배를 내게 주며 요즘 많이 힘드냐고 하였다. 나는 전혀 힘들지 않는 데 말이다. 미윤에게 그런게 아예 없다고 하고 담배를 한 대 더 피며 미윤과 오랜만에 이야기를 나누었다.

"희수야, 너 근데 진짜 그 사람이랑 사귈꺼야?'

"응, 정말 완벽한 이상적인 사람이야"

"어떤점에서 그렇게 느끼는 거야?

자꾸 귀찮게 물어보는 미윤이 싫증날 무렵 기숙사 점호시간이 다가왔고 미윤과 함께 기숙사에 들어갔다.

벌써 내일이면 이 지긋지긋한 기숙사를 벗어날 수 있다니 즐겁다. 부모님은 내게 오피스텔 방 하나를 잡아주며 거기서 생활을 하라고 했다.

단, 조건은 김미윤이 내 옆집이란 것이다. 사실 이해 따윈 안된다. 김미윤이 내게 무슨 이득이 있다고 내 옆에 두게 하는지.. 어머니의 말로는 나를 옆에서 도와줄 수 있는 사람은 김미윤이 유일하다 하지만 나는 잘 모르겠다. 귀찮은 존재 인데 말이다.

다음날 미윤과 함께 오피스텔에 오니 역시 돈이 최고다

돈만 있으면 내가 직접 귀찮게 정리도 안해도 되니 말이다. 내 집에 업체를 부를 때 미윤의 집도 같이 해주었다. 뭐 이정도는 해줄 수 있으니 말이다. 미윤은 깨끗이 정리된 자신의 방을 보더니 감탄을 했다.

"희수야, 정말 고마워"

감탄을 하며 고맙다는 미윤의 반응이 기분이 꽤 좋았다. 역시 나는 누가 나를 인정했을 때가 가장 좋다.

"김미윤, 밥이나 먹자"

"내가 살게 희수야"

"그러든가"

내게 고맙다며 밥을 사준다는 미윤이 꽤 귀여웠다. 내 말에 다 해주는 사람은 얘 밖에 없을 것이다. 미윤이 밥을 시킨지 얼마 지나지 않아 윤혁에게 전화가 왔다. 지금 볼 수 있냐는 전화였다. 갑자기 약속을 잡다니 마음에 들진 않지만 성의를 봐서 나가기로 했디.

"김미윤, 밥은 너 혼자 먹어야 겠다. 나 약속이 있어서"

미윤의 당황한 표정을 뒤로 하고 윤혁을 만나러 갔다.

윤혁을 보니 누가봐도 꾸민 복장으로 나를 찾아왔다.

"일찍 왔네요 갑자기 불려서 늦게 나올 수 알았어요"

내가 늦게 나올 줄 알았다며 나와 줘서 고맙다고 한 윤혁이 꽤나 귀여웠다. 이렇게 귀여운 사람에게 상을 줘야겠다.

"제가 귀여워요.?"

내 물음에 윤혁은 얼굴이 빨개지며 말을 버벅 거리며 그렇다고 하였다. 역시 귀엽다. 윤혁은 내게 같이 걷자고 해 산책을 썩 좋아하지는 않았지만 여기까지 왔으니 그의 부탁에 응해 주었다.

"희수씨 아직 밥 안 드셨죠? 제가 근사한 곳 예약해뒀는데 갈래요?"

윤혁의 말에 나는 좋다고 하였고 윤혁과 같이 함께 걸으며 이런 저런 이야기를 하였다. 역시 얘는 나를 좋아하는 게 틀림 없다. 어떻게 고백을 할지 궁금했다.

"여기예요. 희수씨"

윤혁이 데려간 곳은 레스토랑이였다. 가게 분위기도 예쁘니 마음에 들었다. 자리에 앉아 주문을 하니 윤혁은 우무루쭈물 하고 있었다. 그 모습이 답답한 나는 윤혁에게 오늘 왜 불러냐고 물었다.

"그냥 희수씨를 안 보니 보고 싶더라고요"

아, 오늘 인가보다 이 사람이 내게 고백하는 날이.

때마침 음식이 나왔고 내가 딱 좋아하는 플레이팅이였다.

"여기 플레이팅 되게 예쁘네요. 완전 제 취향"

"안 그래도 희수씨 생각하며 골랐어요 마음에 들었으면 다행이네요"

내 생각을 하며 음식을 골랐다니. 보면 볼 수록 마음에 들었다. 이 남자를 그 어느 누구에게도 뺏기기가 싫었다.

식사를 다 마치고 우리는 영화를 보러갔다. 영화는 내가 전에 말한 공상영화. 스쳐가는 말을 기억 해주다니 솔직히 말해 좀 좋았다.

"공상영화라니 기대 많이 되네요"

"재밌게 봐요. 제가 팝콘 사왔어요"

팝콘을 먹으며 우리는 영화를 관람했고 집중해서 보니 어느새 시간이 이렇게 되었다니. 영화가 끝나고 윤혁은 내게 할 말이 있다 하였다.

"희수씨 저랑 사귈래요? 제가 잘해줄게요. 물론 저 같은 사람이 희수씨에게 어울리지 않은 사람인 걸 알지만.. 잘해줄게요. 저 한 번 만나볼래요?"

역시나 고백이였다. 예상하고 있던 터야 담담했다. 고민이 되었다. 지금 이렇게 노는게 좋은 데 사귄다니.. 근데 이 남자를 다른 사람에게 뺏기긴 싫다. 이렇게 내 말 잘 듣고 내게 이렇게 까지 해주다니. 그것도 순순한 마음으로 생각만 해도 재밌지 않는가. 나는 고민을 하는 척을 하며 그 고백을 받아주었다. 윤혁은 얼굴에 화색을 돌며 너무 기쁘다고 하였다. 역시 나는 잘났다. 그리고 포지션도 꽤 나쁘지 않다. 재벌집 외동딸의 남자친구가 의대생이라니 보기도 좋지 않는가.

윤혁의 고백을 받고 집으로 가는 길 윤혁은 내게 사겨줘서 고맙다고 앞으로 잘해준다고 집에 조심히 가라며 근처 상가까지 데려다 주었다.

역시 너무 착하다. 내가 마음에 들만 하다. 윤혁과 사귄다니.. 궁금하다. 나를 너무 좋아하는 남자와 사귀면 어떤 기분인지 말이다. 이제 나도 정상적인 감정을 느끼지 않을까..?

.

서희수도 알고 있었다. 자신이 공감능력이 결여 되어있고 어느 한 구석이 잘 못 되어있는 것을.. 그러나 희수가 그걸 고치지 않는 이유는 희수 성격에 인정하기도 어려웠지만. 자신이 정신병자라는 걸 이해할 수도 납득 할 수도 없었다. 서희수는 자신이 최고로 잘나고 자신 만큼 지능이 뛰어난 사람은 없다고 굳게 믿고 있기 때문이다.

그리고 또한, 그 어느 누구도 희수에게 잘 못되었다고 알려주 않으니 희수는 그렇게 자라났다. 치료도 안 받고 최소한의 공감만 하며 말이다.

.

.

집에 돌아오자 미윤은 집 밑에 의자에서 나를 기다리고 있었다. 미윤에게 왜 아직 안 갔냐고 물으니 집에 부모님이 와 있다고 하였다. 딸의 첫 독립이라 해야 하나.. 모쪼록 나를 보러왔다고 하였다.

언제부터 있었냐는 내 물음에 미윤은 한시간 전부터 밖에 있었다고 하였다 미윤의 말을 듣고 나는 집에 갔다. 부모님은 나를 보더니 반가운 얼굴로 나를 껴안아주었다.

오랜만에 보고 난 이후 이런저런 이야기를 하니 어느덧 깜깜한 밤이 되었다.

"희수야 너도 이제 네 자리 찾아가야지"

"왜 유학 보낼려고? 내가 가고싶다고 할 때는 최소한 대하 졸업까지는 한국에 있으라며"

"너도 이제 곧 졸업이잖니 졸업하고 바로 유학가자"

분명 이상한 점을 느낄 것이다. 22살이면 최소 3학년 일텐데 왜 벌써 졸업인지.. 나는 계속하여 이야기 하지 않았는가.. 나는 머리가 정말 뛰어난 사람이라고 그래서 남들은 4년 다니는 대학을 나는 3년 다니고 졸업을 한다. 뭐 그런걸 조기졸업이라고 했던 거 같았다.

그러나 고민이 되었다. 유학 가는 걸 매우 좋은 일이지만 이제 막 사귄 윤혁에게는 어떻게 말해야 하는지.. 윤혁이 날 따라 유학을 갔음 좋았겠지만 아직 1학년이고 명분이 없으니 어떻게 해야 할지 모르겠는 그런 느낌이 들었다.

그렇게 통보를 받고 부모님이 가시고 오롯이 내 집에서 나는 고민을 했다. 한국에 이제야 재미가 들렸는데 미국으로 가긴 너무 아까웠다. 그러나 미국에서도 또 다른 윤혁 같은 사람을 만나면 되니까 그러한 고민에 나는 잠을 이루지 못하였다. 다음날이 되고 난 고민의 해결을 찾았따. 어차피 확실해진 문제도 아니고 윤혁도 이해 할것이다. 그 전까지는 그 어느 누구에게도 알리지 말아야 겠다.

"김미윤 아침부터 어디가?"

"나..? 알바 갈랴고"

알바라는 걸 한 번도 하지 않는 나는 궁금했다. 그래서 미윤에게 구경가도 되냐 물으니 미윤으 떨떠름한 표정을 지으며 그러자고 하였다.

"그러면 일 하고 있어. 윤혁씨랑 갈게"

미윤의 일이라 궁금했다. 근데 미윤은 내 덕에 일 같은 걸 안 해도 될텐데 왜 하는 것일까?

.

.

사실 나는 일이란 걸 하고 싶지 않다. 하지만 저 미친 사이코에 벗어 날려면 이런 방법 밖에 없으니까. 서희수의 부모도 이상한 것 같다. 대체 어느 부모가 딸의 친구까지 집을 구해주겠는가.. 어렸을 때야 몰랐으니 받았는데. 지금도 이렇게 다 해주는 게 이해가 되지 않는다.

분명 내가 자신을 떠날 때 그 후폭풍이 두려워 아주 종용히 흔적도 없이 사라질 생각이다. 난 그 멍청한 이희윤처럼 걸리지 않을 것이다.

근데 오늘 따라 서희수는 내게 관심이 많을까 항상 자신이 필요할 때만 찾고 내게 관심도 가진 적 없는 서희수가 무슨 바람이 불러 저렇게 된 걸까? 사실 서희수가 내가 알바하는 가게에 안 왔음 하는 바램이다. 너무 비참할 것 같다. 그리고 윤혁이라 했나 그 남자가 너무 안타깝다. 과연 그는 서희수가 진심으로 안 만나고 고작 재밌는 흥미가 있어 만나준다는 것을 모를까..

.

.

미윤이 알바하러 나가고 나는 윤혁씨에게 전화를 걸었다. 윤혁에게 친구가 일하는 가게에서 술 먹자고 하니 윤혁은 의외의 말을 했다.

"희수씨는 그런 걸 안 좋아하는 줄 알았어요. 워낙에 공주님 같아서.."

공주님..? 칭찬일까 아무튼 윤혁과 만나기로 약속을 하고 내 감정을 되돌아 보기로 했다. 어렸을 때부터 적은 다이어리를 펼치며 내가 어떤 감정인지 하나 씩 적어나갔다.

'기분이 묘하다. 한 번도 이러한 감정을 느끼지 못했는데'

'저 사람은 내 모자란 감정을 채워 줄 꺼 같다.'

'사랑하고 좋아한다는 감정을 느낀 좀 없는 내가 저 이에게 느낀 감정은 무엇일까'

아무리 곰곰히 생각해봐도 사랑이나 좋아함은 아닌 것 같다. 굳이 따지자면 궁금함, 호기심에 가까운 것 같다.

윤혁과 만나고 나는 윤혁에게 먹고 싶은 걸 고르라 했다. 윤혁은 간단한 나베와 술을 시켰고 윤혁은 내게 진지한 이야기를 하고 싶다 하였다.

윤혁의 이야기를 들은 나는 좀 놀랬다. 이렇게 아무 문제 없는 줄 알았던 윤혁이 사실 고아라니 말이다. 그런건 생각 조차 안 해보고 신기했다. 아니 여기서 이런 감정을 느끼면 안되는 걸 알지만 흥미로운 걸 어떡하겠는가..

고아주제에 나를 꼬시고 의대까지 갔다니. 나는 신기한 걸 넘어 흥미로운 걸 넘어 묘한 감정을 느꼈다.

내 표정을 읽은 것일까 윤혁은 동정 안 해도 된다고 하였다. 나는 동정의 감정을 느낀게 아니고 고작 이런 녀석이 내 남자친구이라는 사실이 싫은 것 같다. 사실 잘 모르겠다. 이게 어이가 없는 건지 그럼에도 이렇게 당당하게 사는 윤혁에게 흥미롭고 호기심을 느끼는 건지 말이다.

술이 꽤 들어가고 밤이 늦어 윤혁은 나를 데려다 준다 하였다. 그러고 보니 이 남자는 특이한게 분명하다. 이렇게 몸매 좋고 예쁜 여자가 곁에 있는데 한 번도 건든 적이 없다니 말이다. 정말 신기했다. 다른 이들은 나를 어떻게 해볼려고 난리 났는데 이 남자는 한치의 변함도 없이 그대로 인게 꽤 많이 흥미로웠다.

"윤혁씨 제가 매력이 없어요?"

"예..? 아니요 갑자기 그게 무슨 말씀이세요"

"아니, 사귀면서 한 번도 안 건들기에 저 같은 미녀가 성에 안 차시나 했죠"

윤혁은 내말에 전혀 그런 게 아니고 오히려 내가 너무 예쁘 조심스러웠다고 했다.

역시 특이하다 저렇게 순수한 사람이라니 나쁜 걸 알지만 이런 사람이 내게 사랑이 푹 빠진 느낌은 어떨까.. 그리고 그랬는데 내게 버림 받으면 어떨까..

나는 항상 그래왔다. 불쌍하 이가 있으면 그게 사람이든 동물이든 보살펴주었지만 나를 전적으로 믿게 되었을 때 가차없이 버리는 자 였다. 왜냐 그게 재밌기에 그 사람의 표정, 몸짓, 감정 하나하나가 다 너무 재밌기에 말이다.

윤혁은 시간이 늦었다며 나를 집 앞까지 데려다줘도 되냐는 물음에 나는 그래도 된다 하였다. 그리고 그에게 잊지 못할 기억을 만들어줬다.

집 앞에서 진한 키스를 하고 나는 윤혁에게 한 번 유혹해보고 싶어 한 마디를 던졌다.

"우리집에 고양이 보러갈래?

"어..예..? 아니.. 그건 너무 빠르지 않아요? 어떻게 외관남자가 혼자 사는 여자 집에 가요"

많이 당황한 윤혁을 보니 나도 모르게 웃음이 났다. 윤혁에게 다음에 각오하라고 장난이라 말을 해주고 집에 보내였다.

역시 내 예상대로 흥미있게 생긴 그였다. 과연 재가 나를 떠나게 되나면 어떤 느낌일까, 너무나 궁금하고 기분이 짜릿하다.

"김미윤, 나 유학간다"

"갑자기?"

나는 미윤에게 다짜고짜 유학을 간다고 통보했다. 미윤은 내 말에 많이 당황해 보였다.

"아, 그리고 우리 부모님이 너도 나랑 같이 가래"

내 말에 미윤은 썩 달갑지 않은 표정이였다. 왜 저런 표정일까 나는 정말 그 애의 표정도 말투도 마음에 들지 않었다. 미윤에게 표정이 왜 그러냐 묻자 미윤은 아무것도 아니라 헀다.

.

.

김미윤은 정말 서희수가 싫었다. 자기 멋대로 하는 것 부터 마음에 안 들었고 이제야 서희수 곁을 떠날 수 있을꺼라 기대감에 설렜는데 왜 나는 또 서희수 곁을 떠날 수 없는 걸까 정말 싫다.

.

.

나는 김미윤이 꽤 마음에 들고 가끔 썩 마음에 들지 않는 짓을 하지만 그래도 내가 친구라 생각 했던 인물 중 하나였는데 김미윤은 내게 그런게 아니였나보다. 그러나 어찌겠나 내가 이미 김미윤은 내 곁에 두기로 결정했는 데.

"야, 김미윤 너 기억하지 내가 네 말대로 이희윤을 곁에 안 두는 대신에 너는 내 곁에 계속 둔다는 거. 너는 내 곁을 떠날 수 없어 내가 죽을 때까지는"

김미윤은 내 말에 알고 있다고 자신은 나를 떠날 일이 없다고 했다. 당연하겠지, 김미윤의 목줄은 내가 쥐고 있으니 말이다. 김미윤이 나를 떠나는 순간 지금 까지 내 도움을 받아 비리를 저질렀던 일을 다 말 할것이다. 물로 내 이미지에게도 타격이 가겠지만, 감히 나를 내 허락도 없이 떠난다면 그 정도 각오는 해야하지 않겠는가.

"너는 절대 나 못 떠나 내가 버리기 전에는 그 전 까지 너는 내 곁에 있으면 돼 계속 나를 보좌하면서.. 도대체 뭐가 문제야 내 곁에만 있으면 미래는 보장 되었는데 말이야"

김미윤은 내 말에 알겠다 하며 자신의 방으로 들어갔따. 아마 김미윤은 나를 저주할 것이다. 그걸 알고도 가만히 냅두는 이유는 내가 떠나지 않을 바라는 사람은 떠나는 게 재밌고 반대로 내가 떠났음 바라는 사람에게는 안 떠나는게 재밌으니까. 이유는 단순하다. 재밌고 흥미가 있으니 말이다.

원래 아무에게도 내 유학 이야기를 하지 않으러 했지만 최근 들어 나를 피하는 김미윤에게는 이야기 하고 싶었다. 그리고 이야기 하니 역시나 나를 불편해하는 게 보였다. 그러나 이미 내가 하고 싶다는데 제 딴에 뭐 어떻게 할 수 있겠는가. 그냥 내 말 들어야지..

다음날이 되고 윤혁과 데이트 날이 되어 나는 최대한으로 꾸미고 윤혁을 만나러 갔다. 지하철 역에 보자해 지하철 역으로 천천히 가니 윤혁이 나를 기다리고 있었다.

"윤혁씨 오래 기다렸나요?"

"아니요, 희수씨 생각하니 금방 시간이 가는 걸요"

역시 선수 같은 이 남자. 내게 빠진 모습이 너무 좋다. 근데 좋은 걸 넘어 고아라는 걸 밝히긴 했지만 아무것도 없는 이가 나를 가진게 괘씸하면서 버려진 길고양이 처럼 흥미가 생기는 참이였다.

나는 마음이 못돼쳐먹어 보다. 이렇게 재게 쩔쩔 매는 윤혁이 매력적으로 보이는 게 말이다.

"서희씨 저랑 카페 갈래요 근처에 예쁜 카페 있는데.."

윤혁이 나를 데려간 곳은 내가 좋아하는 브런치 카페였다. 윤혁에게 여기는 어떻게 아는 지 물으니 내 SNS를 봐서 알고 있었다고 한다.

솔직히 윤혁에게 감동이였다. 내가 좋아하는 카페를 찾은 걸 모잘라서 내가 좋아한다는 이유로 여러가지를 찾아 본 그런 마음이.. 한 번도 고맙다는 감정을 느낀 적이 없었는데.. 윤혁에게는 의와ㅣ였다. 그리고 이렇게 감정을 느낀 것도.

사실 아직도 헷갈린다. 내가 이 사람을 좋아하는 건지 아니면 내가 그가 흥민진진해 그냥 단순한 호기심인지 너무나 궁금했다.

.

.

다들 궁금 할 것이다. 나, 윤혁이 왜 저런 사이코 같은 서희수를 좋아하는 지 말이다. 사실 나는 서희수 따윈 좋아 한 적 없었다.

도서관에서 처음 봤을 때는 특이한 사람이라 생각했다. 그래서 처음에 관심이 간 거는 사실이다. 아니 어느 대체 누가 그렇게 예쁜 자에게 관심이 안 가겠는가. 그렇게 예

쁜 얼굴을 타고 났는데.. 거기에 공부 잘 하는 머리? 당연히 흥미과 관심이 갔다

그래서 며칠 동안 관찰을 했다. 누구를 만나는 지 어떤 사람인지 하나 씩 다 관찰을 했다.

관찰을 한 결과 서희수는 이상한 애였다. 자기애가 매우 높고 자신을 중심으로 세상이 돌아간다고 진심으로 믿는 그런 아이 였다.

그래서 그런 애 한테 관심 주는 시간 조차 아까워 관심을 껐다. 관심을 끄고 시간이 지나니 그 애의 부모님이란 자들이 찾아왔다.

정말 무섭게도 그녀의 부모들은 나에 대해 다 알고 있었다. 내가 고아라는 사실 부터 모든 것들을.. 그녀의 부모는 내게 그녀에게 관심을 가져다 주라 했다. 그러지 않으면 내게 들어오는 학교 지원들을 다 끊을꺼라는 협박과 합께 말이다.

"제가 도대체 왜 그래야 하죠?"

내 물음에 그녀의 부모는 서희수가 그렇게 관심을 가지며 움직아는 건 정말 오랜만에 본다고 도와만 준다면 내 꿈을 이뤄준다고 하였디.

아마 서희수는 평생 모르겠지.. 내가 말하는 거, 고백, 행동 까지도 다 계획 된 거라는 걸 말이다.

내가 서희수에게 고백 했을 때 역시 그럴 줄 알았다는 그 표정, 정말 싫었다. 부모의 도움 없이는 아무 것도 할 줄 아는 그녀가 너무 싫었다. 아니, 오히려 혐오하는 것에 가까운다고 해야 하나..

그래서 사실 원래 서희수에게 내가 고아라는 걸 밝히지 않을려 했다. 내가 밝힌 이유는 딱 하나다. 누가봐도 부모의 사랑과 떠 받는 삶인 게 분명한 서희수가 싫었기에 떠본 거다. 그게 좋은 선택인지는 모르겠지만..

나는 그녀가 좋아하는 옷, 그녀가 좋아하는 것을 다 준비해서 그녀에게 받쳤다. 내 꿈을 이루기 위해서라면 이런 것 따윈 열 번도 넘게 할 수 있다.

'아마 서희수는 평생, 꿈에서도 이런 걸 모르겠지. 공주님처럼 자랐을 테니 말이다.'

.

.

나는 윤혁의 의미심장한 표정을 읽고 나서는 윤혁의 생각이 궁금했다. 얼마 안 본 나를 왜 이렇게 좋아하는 지.

윤혁에게 나를 왜 좋아하냐 물으니 윤혁은 이유 따윈 없고 그냥 내 자체가 좋다고 했다. 솔직히 이해가 안된다. 아니, 납득이 안된다고 해야하나 이유가 없이 어떻게 사람을 좋아하는 지 이해가 안된다. 사람이라면 자신에게 가치가 있어야 곁에 두는 게 아닐까 윤혁은 나의 어떠한 이익을 보고 나를 만나는 걸까? 그래도 나를 좋아해주는 그 마음이 생소하기도 하면서 좋은 기분인 것 같다.

.

.

그렇게 난 졸업을 하고 유학을 가게 되었다. 그리고 내 바램대로 윤혁도 나를 따라와 같이 독일로 유학을 가게 되었고 거기서 더 좋은 환경에서 공부를 할 수 있게 되었다.

"내 덕분에 이렇게 질 높은 교육도 받고 어때?"

"별로.."

윤혁은 나랑 만난지 몇 해가 지나가니 나에 대한 애정이 식어버린 것만 같았다. 윤혁에게 왜 그러냐 물으니 윤혁은 나를 사랑하지만 내가 싫다고 했다. 이유를 물어보니 사랑 받고 자란 게 너무 티나서 싫고 남을 배려하는 방법도 모르는 게 싫다고 했다. 그래서 그에게 난 사실 '자기애성 인격장애' 라서 그렇다고 하니 윤혁은 한 숨을 쉬며 알고 있었다고 했다.

"희수야, 우리 이제 그만하자. 나 이제 네 생각 받아주는 것도 지치고 힘들다"

"너 여기서 나 끊으면 네 지원 다 끊길 텐데? 알고 말하는 거야"

윤혁은 자포자기한 심정으로 내 부모를 통해 나를 만난 거고 모든게 다 계획된 거라 했다. 그리고 이제 지원 따윈 필요없다고 나를 떠나 자기를 찾고 싶다 하였다.

"여기서 우리 끝내는 게 말이 된다 생각해?"

"너 곧 있으면 유학 생활 끝나는 거 알지만 더 이상 너와의 미래가 안 그려져 나 이제 놔줘"

윤혁은 내게 마지막 한 마디를 하고 그대로 하고 있던 공부를 냅두고 한국으로 돌아갔다. 나는 윤혁을 만나 이제야 제자리로 찾아가고 있었는 데 말이다. 그래서 어머니에게 전화해서 왜 그랬냐 물으니 그 만한 인재가 없었고 원래 내 유학 생활 전에 이 관계를 끊을려 했지만 내가 너무 좋아하는 게 너무 보여 그러지 않았다고 하였다.

나는 너무 배신감이 들었고 다시는 한국으로 돌아가지 않을려 했다. 근데 내 유학생활이 사실 내 병을 고치기 위해서라니.. 사실 잘 모르겠다 이 것을 고칠 수 있는 지를...

.

.

집에 돌아가니 윤혁이 내가 쓴 편지가 있었다. 나는 이 글을 보자마자 울 수 밖에 없었다. 나를 진짜 사랑했구나에 안도감을 느낀 걸 수도.. 아니, 사실 나는 윤혁을 정말 많이 사랑했구나. 그러지 않을 줄 알았는 데 내게 사랑이란 감정이 있었구나.

서로가 미숙할 때 만났던 우리는 이제 서로의 갈 길을 가는구나. 너를 많이 응원하였고 네 덕에 나도 많이 성장하였단다. 우리 서로를 많이 사랑했던 만큼 앞으로의 길을 응원하자. 너를 오래 만난 만큼 난 너를 꽤 오랫동안 잊지 못 하겠지, 너도 가끔 내 생각을 해주면 좋겠네. 우리 나쁜 기억은 다 잊고 먼 훗날 가끔 생각 났을 때 좋았던 기억만 간직하자.

나는 이제 나를 모든 매체를 차단한 윤혁에게 이메일로 그에 대한 답장을 하나 쓰고 마무리 하였다.

안녕, 나의 첫사랑이여. 그대를 이제 제 가슴 속 깊이 묻어 놓고 이제 나아가겠습니다. 그대와 함께 했던 모든 추억들을 이제 천천히 잊어가겠습니다. 5년 가까이의 우리의 모든 추억들은 이제 서로의 가슴 속 깊이 묻어두고 가끔씩 생각이 났을 때 아, 그땐 그랬지 라고 좋았던 기억만 남기고 싶습니다. 정말 사랑했습니다.그대여. 행복하십시오. 정말 그대는 사랑 받기 충분한 사람이이니, 사랑받으며 행복하십시오.

END

작가의 말

저는 사람의 관계에 대해 글을 쓰고 싶었습니다.

저는 무조건적인 선이 없고 무조건적인 악은 없다 생각합니다.

이 글에서 보이다시피 서현도 선이라 할 수 없고 희수도 악이라 할 수 없죠.

제 책을 읽는 그대들에게 바다를 보여주고 싶었습니다. 낮의 바다도, 밤에 바다도 말이죠.

첫 책이여서 미숙한 부분이 많겠지만 읽어주셔서 감사합니다. 그대들에게 제가 차가운 바다가 아닌 따뜻한 바다였기를 바랍니다.